DESEO

MAUREEN CHILD

Noches mágicas

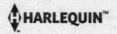
HARLEQUIN™

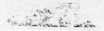

Editado por Harlequin Ibérica.
Una división de HarperCollins Ibérica, S.A.
Núñez de Balboa, 56
28001 Madrid

© 2016 Maureen Child
© 2019 Harlequin Ibérica, una división de HarperCollins Ibérica, S.A.
Noches mágicas, n.º 2131 - 6.12.19
Título original: Maid Under the Mistletoe
Publicada originalmente por Harlequin Enterprises, Ltd.

I.S.B.N.: 978-84-1328-617-4
Depósito legal: M-32669-2019
Impreso en España por: BLACK PRINT
Fecha impresion para Argentina: 3.6.20
Distribuidor exclusivo para España: LOGISTA
Distribuidor para México: Distibuidora Intermex, S.A. de C.V.
Distribuidores para Argentina: Interior, DGP, S.A. Alvarado 2118.
Cap. Fed./Buenos Aires y Gran Buenos Aires, VACCARO HNOS.

MIXTO
Papel procedente de
fuentes responsables
FSC
www.fsc.org   FSC® C108412

Este libro ha sido impreso con papel procedente de fuentes certificadas según el estándar FSC, para asegurar una gestión responsable de los bosques.

Capítulo Uno

Sam Henry odiaba diciembre.

Los días eran tan cortos que las noches parecían eternas. Además, hacía frío y había que soportar la pesadez de la Navidad con sus luces, sus árboles, sus villancicos y su incesante bombardeo de anuncios publicitarios instando a comprar y gastar; algo especialmente doloroso para él, porque todo lo que le recordara a las fiestas le encogía el corazón.

Si hubiera podido, habría borrado ese mes del calendario.

—No puedes enterrar la cabeza en la nieve y fingir que las Navidades no existen.

Sam, que estaba apoyado en la repisa de la chimenea, se giró hacia la mujer que acababa de hablar. Era Kaye Porter, su cocinera, ama de llaves y torturadora habitual.

—De todas formas, no habría nieve suficiente para enterrar nada —continuó, sacudiendo su canosa cabeza—. Te guste o no, las Navidades llegan todos los años.

—Ni me gustan ni estoy obligado a celebrarlas.

Kaye se puso las manos en las caderas y frunció el ceño sobre sus ojos azules.

—Tú haz lo que quieras, pero yo me voy mañana —le advirtió.

–Te subo el sueldo si te quedas.

Ella rompió a reír.

–Sabes de sobra que Ruthie y yo nos vamos de viaje todos los años –le recordó–. Y no lo voy a cancelar.

Ese era otro de los motivos por los que Sam odiaba diciembre. Todos los años, su amiga y ella se tomaban un mes de vacaciones y se iban a alguna parte. Esta vez, habían reservado un crucero a las Bahamas y una estancia en un hotel de lujo. Kaye solía decir que lo necesitaba para poder soportarlo a él el resto del tiempo.

–Si tanto te gustan las Navidades, ¿por qué te vas siempre?

Ella suspiró.

–Hay Navidades en todas partes, hasta en sitios donde hace calor. De hecho, son particularmente bonitas en la playa. Los hoteles iluminan sus salones y sus palmeras y…

–Vale, vale, no sigas –la interrumpió, apartándose de la chimenea–. ¿Quieres que te lleve al aeropuerto?

Kaye sonrió.

–No, gracias. Ruthie vendrá a recogerme. Dejará el coche allí, para no tener que tomar un taxi cuando volvamos.

–Está bien –replicó, dándose por derrotado–. Que te diviertas.

Sam lo dijo en un tono tan sombrío que ella arqueó una ceja.

–Deberías cambiar de actitud. Me preocupas. Siempre estás solo en esta montaña, sin hablar con nadie que no sea yo. Deberías salir y…

Sam no le hizo ni caso. De vez en cuando, Kaye le

soltaba un discurso para convencerlo de que volviera a vivir, como ella decía. No entendía que aquella casa no era una prisión para él, sino un santuario. Era un lugar precioso, de paredes de madera y grandes ventanales de cristal por donde se veían los bosques y el lago. Tenía un garaje enorme y varios edificios exteriores, incluido el taller donde trabajaba.

Llevaba cinco años en ella, desde que llegó de Idaho. Estaba bastante aislada, pero a solo quince minutos de la localidad de Franklin y a una hora escasa de una gran ciudad que, como todas las grandes ciudades, tenía bares, cines y aeropuerto.

Era exactamente lo que quería, un sitio tranquilo y solitario. Cuando necesitaba algo, enviaba a Kaye a Franklin. Y podía pasar semanas enteras sin hablar con otras personas.

–Sea como sea, mi amiga Joy estará aquí a las diez de la mañana –continuó Kaye, que no había dejado de hablar–. Al menos, no estarás solo.

Él asintió. Cada vez que se iba de vacaciones, hablaba con alguna amiga suya y le pedía que la sustituyera, lo cual le evitaba el engorro de tener que limpiar y cocinar. Y todos los años, Sam hacía lo posible por mantener las distancias con su sustituta.

–Espero que esta no se dedique a mirar mis cosas –replicó, cruzándose de brazos.

–Sí, admito que lo de Betty fue una mala idea.

–Desde luego que lo fue.

–¿Qué puedo decir? Siempre ha sido curiosa.

–Curiosa, no. Cotilla.

A decir verdad, Sam no tenía nada en contra de Betty, que la había sustituido el año anterior. Parecía una buena persona, pero era cierto que tenía la fea costumbre de husmear donde no debía. Y la tenía tan desarrollada que se vio obligado a despedirla una semana después y pasar el resto de diciembre entre pizzas congeladas, sopas de sobre y bocadillos de queso.

–Sí, bueno… Reconozco que me equivoqué con ella. Pero Joy no es así. Te gustará.

–Lo dudo.

Kaye sacudió la cabeza de nuevo y lo miró como si ella fuera profesora y él, un alumno particularmente cuentista.

–Claro que lo dudas –dijo con sorna–. No te puedes permitir el lujo de que te guste nadie. Sentaría un mal precedente.

–Kaye…

La mujer que trabajaba para Sam se había convertido en algo más que un ama de llaves. Desde que llegó a la casa, se había ido metiendo en su vida de tal manera que ahora cuidaba de él aunque él no lo quisiera. Pero, ¿qué podía hacer? Kaye era una verdadera fuerza de la naturaleza, al igual que sus amigas.

–Bueno, da igual. En todo caso, Joy está informada de que eres un cascarrabias y de que debe dejarte en paz.

Él frunció el ceño y dijo, irritado:

–Gracias.

–¿Es que equivoco?

Sam guardó silencio, y ella siguió hablando.

–Es una buena cocinera. Dirige un negocio por Internet.

6

–Sí, ya me lo habías contado.

A decir verdad, Kaye no había mencionado de qué negocio se trataba; pero él tampoco lo había preguntado, porque imaginaba que no sería interesante. ¿Qué tipo de ocupación podía tener una mujer de cincuenta y tantos o sesenta y tantos años que fuera amiga de ella? ¿Dar clases de punto? ¿Ofrecer sus servicios como niñera? ¿Cuidar de los perros de sus vecinos? Seguro que sería como su madre, que vendía ropa por la Red.

–Solo lo digo porque tiene cosas que hacer, así que no se interpondrá en tu camino. De hecho, no habría aceptado el trabajo si no hubiera sufrido un incendio en su casa. Ahora está de obras, y el contratista dice que no terminarán hasta enero.

–Sí, eso también me lo habías contado –le recordó–. Pero, ¿cómo se las arregló para sufrir un incendio? ¿Qué es, una especie de pirómana? ¿O cocina tan mal que se le quema todo?

–Joy no cocina mal. Tiene tanto talento como sentido del humor –la defendió Kaye–. Desgraciadamente, la casa que alquiló es bastante antigua, y se produjo un cortocircuito. El casero se ha comprometido a cambiar toda la instalación eléctrica.

–Me alegro de saberlo –ironizó.

–Búrlate tanto como quieras, pero te diré lo mismo que te digo todos los años: que sobrevivirás a diciembre, como siempre.

Sam se estremeció al atisbar un destello de afecto en sus ojos. Ese era el problema de permitir que la gente se acercara demasiado. Al final, se sentían con derecho a meterse en la vida de los demás. Y, aunque sabía que las intenciones de Kaye eran buenas, había partes de su vida que estaban completamente cerradas, por una buena razón.

Fuera como fuera, estaba de acuerdo en que sobreviviría a diciembre. Solo tenía que hacer caso omiso de la alegría forzada de las fiestas y de su sucesión de películas patéticas donde un héroe endurecido por las circunstancias tenía una revelación y abría su corazón al espíritu de las Navidades.

Desde su punto de vista, los corazones no se debían abrir; porque, si se abrían, los destrozaban. Y él no estaba dispuesto a volver a pasar por eso.

Kaye se fue de vacaciones al día siguiente y, al cabo de unas horas, Sam se sintió abrumado por el silencio.

Perplejo, se recordó a sí mismo que le gustaba vivir así, sin nadie que le molestara ni le diera conversación constantemente. Uno de los motivos por los que se llevaba bien con Kaye era que el ama de llaves respetaba su necesidad de estar solo. Pero, entonces, ¿por qué se sentía tan mal con el vacío de la casa?

–Será cosa de diciembre –se dijo en voz alta.

Siempre le pasaba lo mismo a final de año. Su vida se volvía insufrible. No encontraba sosiego en nada y, para empeorar las cosas, estaba tan alterado que ni siquiera se podía concentrar en su trabajo, lo único que le tranquilizaba un poco.

Tras fruncir el ceño, se pasó una mano por el pelo y miró por la ventana. Era un día gris y frío. Las nubes estaban tan cerca que parecían rozar la copa de los árboles. El lago, que en verano tenía color zafiro, se extendía ahora como una lámina de estaño. Todo tenía un aspecto sombrío, lo cual contribuía a aumentar su inquietud.

Los recuerdos se agolparon en su mente, pero Sam los reprimió con su contundencia habitual. Se había esforzado mucho por olvidar el pasado, sobrevivir a él y seguir adelante. Había vencido a sus demonios, y no iba a permitir que se escaparan y pusieran en peligro lo que había conseguido.

Momentos después, un viejo sedán de color azul llegó al vado de la casa y se detuvo. Al verlo, pensó que sería la amiga de Kaye, pero la persona que bajó del coche no se parecía nada a la que había imaginado.

Para empezar, era tan joven que no debía de tener ni treinta años y, para continuar, era tan atractiva que Sam la deseó al instante. No podía dejar de mirarla. Su presencia lo iluminaba todo, como si un rayo de sol hubiera atravesado el encapotado cielo.

El fuerte viento revolvió su corto pelo rubio y se lo aplastó contra una cara de rasgos perfectos y ojos azules. Llevaba botas, unos vaqueros negros que enfatizaban sus largas piernas y un parka rojo sobre un jersey de color crema. Era verdaderamente bella, y se movía de un modo tan grácil que habría llamado la atención de cualquier hombre.

Al darse cuenta de lo que estaba haciendo, apartó la vista y se maldijo por prestarle atención. No estaba interesado en las mujeres. No quería sentir lo que aquella le hacía sentir. Pero, como seguía convencido de que no podía ser la amiga de Kaye, pensó que no sería un problema. De vez en cuando, alguien se equivocaba de camino y terminaba en su casa, tan difícil de encontrar que casi no recibía ninguna visita.

Entonces, ella abrió una de las portezuelas traseras y dejó salir a una niña, cuya mirada de entusiasmo le encogió el corazón a Sam. Ya no le gustaban los niños. No quería oír sus voces ni sus risas. Eran demasiado pequeños, demasiado vulnerables.

Profundamente angustiado, se apartó de la ventana y se dirigió al vestíbulo. Cuanto antes se librara de aquella maravilla de mujer, antes podría volver a respirar.

–¡Es un castillo de hadas, mamá!

Joy Curran sonrió a su hija. Tenía cinco años, y veía princesas, hadas y magia por todas partes, en todo lo que miraba. Pero, esta vez, su comentario no estaba completamente fuera de lugar. En efecto, la enorme mansión parecía un castillo.

De dos pisos de altura, estaba rodeada de bosques que se ceñían sobre ella como dispuestos a defenderla de cualquier ataque. Sus paredes eran de troncos de color miel, y por las grandes ventanas se atisbaban detalles del interior. En el porche, había sillas y tumbonas que invitaban a sentarse y disfrutar de las vistas del lago, cuyo muelle penetraba unas aguas que, en invierno, estaban congeladas.

Sin embargo, la temperatura era demasiado baja para quedarse mirando la propiedad, así que alcanzó su bolso y, tras cerrar el coche, se dirigió a la entrada en compañía de la pequeña, que iba saltando a su lado, encantada. Aquel año no había nevado mucho, pero el frío era tan intenso que se colaba hasta los huesos.

Mientras se acercaba, pensó que la preciosa mansión parecía haber brotado de los propios bosques. Le intimidaba tanto como dueño, porque lo que sabía de él no era precisamente tranquilizador. Kaye hablaba muy bien de su jefe, pero su criterio no le merecía confianza; a fin de cuentas, se pasaba la vida recogiendo perros, gatos y hasta pájaros heridos.

Joy sabía que era o había sido pintor. Había visto algunos de sus cuadros en Internet, y le habían dado la impresión de que su autor debía de ser un hombre cálido, agradable y vital; justo lo contrario de lo que afirmaba Kaye, quien lo tenía por una especie de ermitaño, aunque estaba segura de que se sentía solo. Pero, si se sentía así, ¿por qué se quedaba en su casa? Salía tan pocas veces que sus visitas al pueblo eran noticia.

De todas formas, eso carecía de importancia para ella. Holly y ella necesitaban un sitio para quedarse hasta que terminaran la obra, y lo habían conseguido gracias a la más que oportuna oferta de su amiga. Además, lo que hiciera Sam Henry no era asunto suyo.

Tomó de la mano a su hija y se detuvo ante la puerta, sintiendo envidia de su inocencia infantil. Para Holly, estaban a punto de vivir una aventura en un castillo mágico; para ella, estaba a punto de pasar un mes entero con un hombre increíblemente reservado y, según Kaye, bastante gruñón. Aunque, por otra parte, no podía ser tan malo. Kaye vivía todo el año con él, y llevaba cinco a su servicio.

Ya estaba a punto de llamar cuando la puerta se abrió y dio paso a un hombre de melena negra y ojos marrones que la dejó anonadada. Era alto, de hombros anchos, cintura estrecha y largas piernas embutidas en unos vaqueros desgastados y unas botas camperas de color marrón. Si no hubiera sido por su expresión sombría, lo habría tomado por uno de los hombres de sus fantasías sexuales.

–Te has metido en una propiedad privada –eliminó de golpe la breve ensoñación de Joy–. Si buscas el pueblo, tienes que volver a la carretera principal y girar a la izquierda. Está a unos veinte minutos.

Ella respiró hondo y sonrió, dispuesta a empezar con buen pie.

–Gracias, pero no me he perdido.

Él arqueó una ceja.

–Entonces, ¿qué haces aquí?

En lugar de responder a la pregunta, Joy declaró:

–Yo también me alegro de conocerte.

–¿Quién eres tú? –insistió Sam.

–Joy, la amiga de Kaye.

–¿Bromeas?

Él la miró de arriba a abajo, y ella no supo si sentirse halagada o insultada. Pero, al ver que mantenía su actitud desagradable, optó sin duda por la segunda opción.

–¿Hay algún problema? Kaye me dijo que me estabas esperando, sí que…

–No eres vieja.

Joy parpadeó.

–Gracias por haberlo notado –dijo con ironía–.

Pero, si yo fuera tú, no llamaría *vieja* a Kaye. Se enfadaría mucho.

–No, yo no quería decir eso… Es que esperaba a una mujer de su edad –replicó–. No sabía que serías tan joven, ni que vendrías con una niña.

Joy frunció el ceño. ¿Cómo era posible que Kaye no le hubiera dicho nada de Holly? Le pareció extraño, pero no estaba dispuesta a permitir que lo utilizara como excusa para rechazarla. Necesitaba un sitio donde quedarse.

–Mira, hace mucho frío. Si no te importa, me gustaría entrar en la casa.

Sam sacudió la cabeza y abrió la boca para decir algo, pero Holly se le adelantó.

–¿Eres el príncipe del castillo? –dijo, observándolo con detenimiento.

–¿Cómo?

–El príncipe –repitió la pequeña–. Los príncipes viven en castillos.

En los labios de Sam se dibujó una sonrisa que solo duró un segundo. Pero Joy la vio y, por algún motivo, se sintió mejor.

–No, no soy un príncipe.

–Pues lo pareces. ¿Verdad, mamá?

Joy sonrió a su hija, pensando que los modales del supuesto príncipe dejaban bastante que desear.

–Sí, es verdad –respondió, antes de volver a mirar a su anfitrión–. Siento que no seamos lo que esperabas, pero estamos aquí de todas formas, y necesitamos calentarnos junto al fuego de tu chimenea.

–¿Sabes que los bomberos me dejaron sentarse en

su camión? –intervino Holly otra vez–. Tenía luces de todos los colores.

–¿En serio? –dijo él.

–Sí, aunque olía bastante mal.

–Sí, eso también es cierto. Y, por si fuera poco, el fuego causó tantos daños que no podemos volver a casa hasta que terminen la obra –declaró su madre, pasándole una mano por la espalda–. En fin, ¿podemos hablar dentro? No bromeaba al decir que hace frío.

Durante un momento, ella pensó que Sam las rechazaría, pero asintió y se apartó de la puerta para dejarlas entrar.

Joy, que estuvo a punto de soltar un suspiro de alivio, entró en el vestíbulo y miró el suelo. Era de baldosas, lo cual le pareció de lo más conveniente, porque quitar la nieve de ese tipo de superficie era más fácil que quitarla de la madera.

La casa parecía más grande por dentro que por fuera y, como el día era gris y las luces estaban encendidas, casi brillaba. Al fondo, se veía un pasillo que debía de llevar a la parte trasera y a la derecha, la escalera que daba al segundo piso.

Joy se giró hacia el perchero de la entrada, le quitó la chaqueta a su hija y, tras despojarse de su parka, las colgó. Para entonces, ya había llegado a la conclusión de que la casa le gustaba mucho. Era lo que Holly y ella necesitaban, un lugar cálido y acogedor, aunque su dueño no fuera ninguna de las dos cosas. Pero, ¿se podrían quedar? El hecho de que las hubiera dejado entrar no implicaba necesariamente que las quisiera allí.

–Bueno, ya estás dentro –dijo él–. Hablemos.

Decidida a forzar la situación, Joy pasó a su lado y abrió la primera puerta que vio. Daba al salón, un lugar tan grandioso que se quedó perpleja. Dos de las paredes eran enteramente de cristal, y ofrecían una vista impresionante de los bosques y el helado lago. Tenía una chimenea digna de un palacio, y había alfombras, sofás de cuero, un equipo de televisión, mesas de madera y estanterías llenas de libros.

–Vaya, veo que a ti también te gusta la lectura. Y menudo sitio para leer –declaró ella–. Es precioso.

–Sí, no está mal, pero…

–Ni siquiera sabrás que estamos aquí –lo interrumpió–. Además, me encantaría cuidar de un sitio como este. Y, como sé que Kaye lo adora, estoy segura de que Holly también lo disfrutará.

–No lo dudo, pero…

–Bueno, voy a echar un vistazo –lo interrumpió de nuevo–. No te molestes en enseñarme la casa. Ya la investigaré yo.

–Hablando de la casa…

–¿A qué hora quieres cenar?

Sam le lanzó una mirada de irritación; pero, lejos de darse por enterada, respondió ella misma a la pregunta que acababa de formular.

–¿Te parece bien a las seis? Si estás de acuerdo, cenaremos todos los días a esa hora. Si no, la podemos cambiar.

–Aún no he dicho que…

–Holly y yo nos alojaremos en la suite de Kaye, que según me ha dicho está junto a la cocina. No te preocupes por nosotras. Dejaremos el equipaje y tú podrás volver a lo que estuvieras haciendo –dijo con una gran sonrisa–. Cuando nos hayamos instalado, comprobaré el contenido de tu despensa y prepararé la cena.

–Puedes interrumpirme tantas veces como quieras, pero ese truco no te va a servir. Yo no he dicho que te quiera en mi casa.

–No hace falta que lo digas. Acordamos que nos quedaríamos un mes, y nos vamos a quedar un mes.

Él sacudió la cabeza.

–Esto no va a funcionar.

Joy se puso tensa. Necesitaba el trabajo y necesitaba la casa. No se podía permitir una negativa, así que lo miró con intensidad y dijo en voz baja, para que Holly no la oyera:

–Llegamos a un acuerdo, y lo vas a cumplir.

–No he llegado a ningún acuerdo contigo.

–Pero llegaste a uno con Kaye.

–Kaye no está aquí.

–Lo sé. Por eso he venido.

Los dos se miraron con ira. Y justo entonces, Holly preguntó:

–¿Hay hadas en el bosque?

–No lo sé, cariño –respondió su madre.

–No –dijo él.

Holly se quedó tan triste que Joy frunció el ceño a Sam. ¿Cómo podía ser tan insensible? Comprendía que lo fuera con ella, pero la niña no le había hecho nada.

–Solo quería decir que no ha visto ninguna, preciosa.

El rostro de la pequeña se iluminó.

–Ah, bueno… Yo tampoco las he visto, pero puede que las vea alguna vez.

Joy volvió a mirar al hombre en cuyas manos estaba su futuro inmediato. Casi estaba deseando que se atreviera otra vez a reventar las fantasías de su hija. Pero, en lugar de eso, se giró hacia Holly y declaró:

–Si no las has visto todavía, tendrás que esforzarte un poco más. Vas a tener un mes entero para buscarlas.

Capítulo Dos

El trabajo no mejoró el humor de Sam, aunque tampoco le sorprendió. ¿Cómo se iba a concentrar si Joy Curran volvía una y otra vez a sus pensamientos?

Desesperado, pasó una mano por la suave superficie de la mesa que estaba haciendo. Llevaba seis años sin pintar nada, concentrado exclusivamente en las tablas de nogal y el familiar olor del aguarrás y el aceite de linaza. Por supuesto, eso no significaba que no deseara volver a los lienzos. Lo deseaba con toda su alma, pero no podía y, como tampoco se podía cruzar se brazos, había cambiado la pintura por la carpintería.

Era una buena forma de matar el tiempo y de apaciguar sus necesidades creativas. Se iba al taller y hacía mesas, sillas y hasta elementos decorativos para el jardín. Trabajaba para no tener que pensar. Trabajaba para no recordar.

Por desgracia, la llegada de Joy había anulado el efecto terapéutico del trabajo; y no era de extrañar, porque había pasado mucho tiempo desde la ultima vez que había estado con una mujer tan sexy. Pero, ¿qué podía hacer? ¿Echarla de la casa? En principio, solo tenía dos opciones: aguantarla un mes entero o volver a sufrir lo del año anterior, cuando despidió a la amiga de Kaye y tuvo que sobrevivir a base de bocadillos.

Sam dejó sus herramientas a un lado y se giró hacia la ventana que daba a la casa. Las luces de la cocina estaban encendidas, lo cual permitió que viera al objeto de su turbación, que estaba preparando la cena.

Joy. Hasta el nombre era bonito, incluso demasiado.

Todo en ella era demasiado: demasiado bella, demasiado interesante, demasiado tentadora. Y todo era un peligro, porque no estaba seguro de poder resistirse a su encanto. La deseaba desde que la había visto bajarse del coche.

Aún estaba maldiciendo su suerte cuando sonó el móvil que llevaba en el bolsillo.

—Oh, no, mi madre —se dijo en voz alta—. Lo que faltaba.

Sam consideró la posibilidad de no contestar, pero sabía que Catherine Henry no era de las que se daban por vencidas. Si no contestaba, volvería a llamar otra vez y, si seguía sin contestar, seguiría llamando.

—Hola, mamá.

—¿Qué tal está mi hijo favorito?

—Soy tu único hijo.

—Razón de más para que seas el favorito —replicó—. Has estado a punto de no contestar, ¿verdad?

Sam sonrió. Su madre parecía tener el don de la adivinación.

—Sí, pero he cambiado de idea.

—Por miedo a que siguiera llamando, claro.

Sam suspiró.

—¿Qué quieres, mamá?

—Kaye me dijo que se iba de vacaciones. Solo quería saber si Joy y Holly han llegado bien.

–¿Joy y Holly? ¿Es que las conoces ? –preguntó, extrañado.

–De oídas –respondió, soltando una carcajada–. Tu ama de llaves me mantiene informada sobre tus cosas desde que te dio por convertirte en un eremita.

Él respiró hondo.

–Tendrías que habérmelo advertido.

–¿A qué te refieres? ¿A Joy? Kaye dice que es encantadora.

–No, me refería a su hija.

Catherine guardó silencio durante un par de segundos, pero luego dijo:

–No puedes evitar a los niños eternamente.

–¿He dicho yo que los quiera evitar?

–No, pero sé cómo te sientes, cariño. Y haces mal… Por duro que sea, Holly no es Eli.

–Lo sé –dijo, tenso.

Su madre cambió repentinamente de actitud, y recuperó el tono alegre que había abandonado.

–Bueno, espero que seas simpático con ellas –declaró–. Kaye y yo pensamos que Joy es perfecta para ti.

–¿Ah, sí?

–Es muy independiente y, según dice Kaye, también es divertida y amigable. Justo lo que necesitas. Alguien que te saque de tu encierro.

Sam se dio cuenta de que su madre y su ama de llaves le habían tendido una trampa. Era tan obvio que se maldijo por no haberlo sospechado antes. Catherine llevaba años intentando que olvidara el pasado, asumiera su dolor y siguiera adelante con su vida. Quería que fuera feliz, y Sam lo entendía perfectamente. Pero ella no entendía que ya era tan feliz como podía serlo.

–No me interesa, mamá.

–Por supuesto que sí, aunque aún no lo sabes –replicó–. Además, no te estoy pidiendo que te cases con ella. Solo te pido que la trates bien… Inténtalo, por favor. Te has encerrado en ti mismo, y eso no es sano.

Sam suspiró. Le disgustaba que su familia estuviera preocupada por él. Habían sufrido mucho, y era consciente de que querían verlo recuperado y en algo parecido a lo que ellos entendían por una vida normal. Pero no lo iba a lograr por arte de magia.

Lo mejor que podía hacer en ese momento era convencer a Catherine de que lo dejara en paz. Lamentablemente, tenía pocas opciones de conseguirlo. Los suyos eran así: cada vez que intentaba alejarse de ellos, se acercaban a él. La estratagema de Kaye y su madre, que pretendían emparejarlo con Joy, era un buen ejemplo.

Pero no se iban a salir con la suya. No quería más mujeres en su vida, aunque su pelo fuera como la luz del sol y sus ojos, del color de un cielo de verano.

Y desde luego, tampoco quería más hijos.

–¿Sam? –preguntó su madre, sacándolo de sus pensamientos–. ¿Sigues ahí? ¿Estás en coma? ¿Quieres que llame a urgencias?

A Sam se le escapó una carcajada.

–No, no, sigo aquí.

–Ah, excelente. Me empezaba a preocupar –dijo con sorna–. Hazme ese favor, cariño. No aterrorices a esa pobre chica. Si está dispuesta a quedarse un mes contigo, será porque necesita el trabajo.

Sam pensó que la hipótesis de su madre era tan correcta como insultante, pero dijo:

–Gracias, mamá.

–Hazme caso. Los ermitaños no son atractivos, Sam. Terminan por no lavarse, acaban con barbas por el estómago y mascullan todo el tiempo.

–Lo que tengo que aguantar… –dijo él.

–Di lo que quieras, pero estoy hablando en serio. Si sigues así, las gentes de esas montañas asustarán a sus hijos con historias terribles sobre el extraño hombre que no salía nunca de su casa.

–Yo no soy extraño –protestó–. Y, aunque lleve un par de días sin afeitarme, te aseguro que no quiero dejarme barba.

–Pero te estás dejando llevar, Sam.

Él suspiró de nuevo.

–Sé que tienes buenas intenciones, mamá. Lo sé.

–Las tengo, y tú tienes que…

–Estoy haciendo lo que tengo que hacer –la interrumpió–. Mi vida ha cambiado mucho.

–No necesito que me lo recuerdes –dijo Catherine, recordando su tragedia–. Pero no quiero que eches tu vida a perder.

Sam se preguntó si todas las madres eran iguales o si la suya tenía algo que le impedía ver la realidad. ¿Echar a perder su vida? ¿Cómo, si ya había perdido todo lo que le importaba? Y, en cuanto a lo de olvidar el pasado, era imposible. Lo tenía constantemente en la cabeza. No podía fingir que no había sucedido nada.

Pero explicárselo a su madre era perder el tiempo. No lo entendía. No comprendía que tenía que echar mano de toda su fuerza de voluntad para levantarse por las mañanas.

Desde luego, Sam agradecía su interés y su preocupación. Su familia le había demostrado de mil maneras distintas que podía contar con ellos; pero eso carecía de importancia, porque estaba solo y lo seguiría estando.

–Mamá, me encanta hablar contigo, pero tengo que volver al trabajo –dijo, perdiendo la paciencia.

–Está bien. Piensa en lo que te he dicho.

–Por supuesto.

Sam cortó la comunicación y se guardó el teléfono en el bolsillo, arrepintiéndose de haber contestado. ¿Por qué no había apagado el maldito trasto? Si lo hubiera apagado, ella se habría tenido que contentar con dejar un mensaje en el contestador, y él no se habría sentido tan mal como se sentía.

Justo entonces, vio que eran las seis de la tarde, la hora de la cena de Joy. Pero no estaba de humor para someterse a esa tortura, de modo que alcanzó la lijadora y se puso a trabajar con la madera. Era un proceso lento y difícil, justo lo que necesitaba para descargar la tensión que había acumulado durante su conversación telefónica.

La noche ya estaba bastante avanzada cuando salió del taller y se dirigió a la casa bajo nubes que parecían anunciar una tormenta de nieve. Se sentía culpable por no haberse presentado a cenar, pero él no tenía la culpa. No le había pedido que cocinara. De hecho, ni siquiera le había pedido que se quedara. Y, sin embargo, se había quedado.

Mientras caminaba, pensó que tendría que hablar

con ella para establecer unas normas básicas. Joy debía entender que el trabajo no consistía en cuidarlo a él, sino en cuidar de la casa. Excepción hecha de las comidas, a las que asistiría o no según su criterio, no la quería ver por ninguna parte.

Cuando llegó a la entrada de la cocina, tenía intención de hacerse un sándwich y quizá, una sopa de sobre. Suponía que Joy se habría retirado a sus habitaciones, y se llevó un disgusto al verla sentada a la mesa con una copa de vino.

–Llegas tarde –dijo ella.

Sam cerró la puerta y echó la llave.

–No tengo horarios fijos –se defendió.

–Ni yo pretendo que los tengas. Pero, si quedamos en cenar a las seis, estaría bien que aparecieras a las seis –replicó ella, encogiéndose de hombros–. Es una simple cuestión de educación.

Sam la miró con detenimiento. No había más luz que la del extractor de la cocina, pero no necesitaba más para darse cuenta de un detalle desconcertante; que no estaba enfadada con él, lo cual empeoró su sentimiento de culpabilidad.

–Lo siento. Me he puesto a trabajar y se me ha pasado la hora. Pero no te preocupes por mí. Ya me prepararé algo.

–No hace falta. Te he guardado un plato –replicó, levantándose de la mesa–. ¿Por qué no te lavas mientras te lo sirvo?

Sam quiso negarse, pero estaba tan hambriento y su comida olía tan bien que, al final, se lavó las manos y se sentó a la mesa.

–¿Te apetece una copa de vino? Está muy bueno –dijo ella.

Él arqueó una ceja.

–Me alegra que lo apruebes.

–El vino me encanta –le confesó, haciendo caso omiso de su sarcasmo–. No hay nada mejor para terminar un día de trabajo, ni más relajante antes de acostarse.

Sam carraspeó, porque lo de acostarse sonaba demasiado sugerente en sus labios.

–Sí, bueno… Prefiero tomarme una cerveza.

–Te la llevo enseguida.

Joy regresó al cabo de unos segundos con la cerveza y un plato de pasta cuya salsa era de color rojo.

–¿Qué es? –preguntó.

–*Mostaccioli* con mozzarella, parmesano y la salsa de carne que hacía mi abuela.

–Pues huele maravillosamente.

–Y sabe aún mejor –le aseguró.

Joy, que seguía de pie, plantó un pie en una silla y añadió:

–No te voy a esperar todas las noches, ¿sabes? Si no llegas a tiempo, tendrás que prepararte tú la cena.

–Tomo nota.

Sam alcanzó el tenedor, probó la pasta y tomó la decisión de dejar la conversación sobre las normas para otro momento. Joy Curran era una cocinera verdaderamente buena; tan buena, que todo lo demás carecía de importancia.

–¿Y bien? –preguntó ella.

–Está deliciosa.

El rostro de Joy se iluminó con una sonrisa que lo dejó sin aliento, dominado una vez más por el deseo. Y entonces, se le ocurrió la posibilidad de que no fuera una simple víctima de las estratagemas de Kaye y de su madre, sino su cómplice. A fin de cuentas, era joven, bonita y madre soltera. ¿Por qué no aprovechar la ocasión para echar el lazo a un hombre rico? Habría tenido todo el sentido del mundo.

Alarmado, la volvió a mirar; pero en sus ojos azules no había ni el menor asomo de malicia. ¿Sería posible que fuera inocente? No tenía forma de saberlo, así que optó por olvidar el asunto y retomar su plan de establecer unas normas. Si iban a vivir juntos, tenían que conocer el terreno que pisaban.

Sin embargo, su plan se volvió a estrellar contra el espectacular sabor de la pasta.

–Está bien –dijo–. He decidido que te puedes quedar.

Joy sonrió de nuevo y bebió un poco de vino.

–Gracias, aunque no tenía intención de marcharme.

–¿Ah, no? –preguntó con humor.

Ella sacudió la cabeza.

–No. Soy muy obstinada cuando quiero algo, y quiero quedarme este mes.

Sam se recostó en la silla. La casa estaba en silencio, y la pálida luz del extractor daba un ambiente íntimo a la estancia.

–Ponte en mi lugar –continuó ella–. Imagina que te vieras obligado a pasar un mes entero en un hotelucho, y con una niña de cinco años. Para mí, sería una pesadilla y para mi hija, una injusticia. Los niños necesitan espacio, necesitan jugar y correr.

Sam no quería recordar nada, pero las palabras de Joy le hicieron pensar en otro niño, que también necesitaba jugar y correr. Un niño de ojos marrones, como los suyos.

Agarró su cerveza con tanta fuerza que casi le extrañó que la botella no estallara. Luego, respiró hondo y echó un trago largo. Las imágenes de su mente se empezaron a difuminar, como si un banco de niebla se cerrara a su alrededor.

–Además, tu cocina es fantástica –prosiguió Joy, echando un vistazo a los claros armarios de roble y las encimeras de granito azul–. Trabajar en un sitio tan grande es un lujo. Yo vivo en una casa ridículamente pequeña, sin mencionar el hecho de que todo está viejo o estropeado. Pero solo estamos de alquiler. Uno de estos días, tendremos nuestra propia casa, y en la cocina habrá una mesa donde Holly pueda hacer sus deberes mientras preparo la cena.

Sam decidió entrar en materia y establecer las normas en cuestión. Para él, la cocina solo era un sitio de electrodomésticos de metal que ni siquiera usaba, excepción hecha del frigorífico y el microondas; pero Joy había conseguido arrastrarlo a su sueño de una vida más cómoda.

–Muy bien, te quedarás un mes como acordamos.

–¿Pero? Porque noto un *pero* en la frase…

Él asintió.

–Pero mantendremos las distancias y te asegurarás de que tu hija no se interponga en mi camino –contestó.

Joy arqueó las cejas.

–No te gustan los niños, ¿verdad?

–Hace tiempo que no.

–Holly no te molestará –afirmó, echando otro trago.

–Entonces, nos llevaremos bien.

Sam tomó un poco más de pasta, bebió más cerveza y dijo:

–Tú cocinarás y limpiarás. Yo estaré casi todo el tiempo en el taller, así que no nos veremos demasiado.

Joy lo miró con intensidad. Estaba sonriendo, y Sam notó que se le había formado un hoyuelo en la mejilla derecha.

–Eres muy misterioso.

–¿Misterioso? ¿Yo? No, solo soy reservado.

–Ser reservado no es lo mismo que esconderse.

–¿Quién dice que me escondo?

–Kaye.

Sam suspiró. Al parecer, su ama de llaves había hablado con todo el mundo, desde su madre hasta Joy.

–Hay muchas cosas que Kaye no sabe.

–Pero sabe algunas. Vive contigo, y se preocupa por ti –afirmó–. Dice que estás demasiado solo, ¿sabes?

Sam cambió de posición, súbitamente incómodo.

–Sin embargo, no me ha dicho por qué decidiste vivir en plena montaña –insistió ella.

–Vaya, me alegra que se haya callado algo –ironizó él.

–La gente se hace preguntas sobre ti, Sam. No entienden que no bajes nunca por el pueblo. Es un sitio precioso. ¿Por qué no quieres hablar con nadie? ¿No lo echas de menos?

–No.

–Yo lo extrañaría muchísimo.

–Qué sorpresa –dijo en voz baja–. En todo caso, no es cierto que no vaya nunca a Franklin. Paso de vez en cuando. Y si tuviera necesidad de hablar con alguien, que no la tengo, hablaría con Kaye.

–¿Que pasas de vez en cuando? Tus visitas son tan esporádicas que los vecinos hicieron una apuesta el año pasado, en verano. Algunos se jugaron su dinero a que aparecerías antes de otoño y otros, a lo contrario.

Sam se quedó atónito.

–¿Hacen apuestas sobre mí?

Joy rio.

–¿Eso te sorprende? Es una localidad pequeña donde nunca pasa nada, excepción hecha de las manadas de turistas. ¿Cómo no van a apostar sobre el ermitaño local?

–Empieza a disgustarme que me llamen así.

–No te lo tomes a mal. Además, has hecho cosas buenas sin saberlo. Jon Bowers ganó doscientos dólares gracias a ti cuando apareciste a finales de agosto y compraste todas esas herramientas en la ferretería.

–Me alegro por él –replicó Sam, sacudiendo la cabeza con humor–. Pero, ¿quién demonios es Jon Bowers?

–El panadero. Lleva la panadería con su mujer.

–¿Hay una panadería en Franklin?

Ella suspiró.

–Es tan triste que no lo sepas…

Sam soltó una carcajada que los sorprendió a los dos por igual.

–Deberías hacerlo más a menudo –comento ella.

–¿Bajar al pueblo?

–No, reír. Quitarte de encima tu expresión gruñona.

–¿Siempre tienes una opinión para todo?

–¿Tú no?

Sam no tuvo más remedio que asentir. Él también tenía opiniones para todo, y en ese momento opinaba que había cometido un error al permitir que Joy y su hija se quedaran en su casa un mes entero.

Pero no se arrepentía en absoluto.

Capítulo Tres

A la mañana siguiente, Joy decidió que Sam necesitaba un poco de ayuda para salir de su encierro. La conversación de la noche había sido más reveladora de lo que a él le habría gustado, y ella se había dado cuenta de que se estaba escondiendo tras su fachada dura, distante y solitaria.

De hecho, sabía que la estaba rehuyendo desde que faltó a la cena, con la intención evidente de no verla. Por eso se había quedado en la cocina, esperándolo. Siempre había creído que afrontar los problemas era mejor que cruzarse de brazos y, como aún no tenía la seguridad de que les permitiera seguir en su casa, se armó de valor para hablar con él y convencerlo.

Pero cuando probó sus *mostaccioli*, supo que no sería necesario. Lo había conquistado por el estómago, y estaba dispuesto a tolerar su presencia aunque solo fuera por razones culinarias.

A Joy no le importó que solo la quisiera por la comida. En cambio, se enfadó con su propio cuerpo, que la traicionaba cuando estaba a su lado. No esperaba sentirse atraída por Sam. No había sentido nada parecido desde que se separó del padre de Holly, poco antes de que la niña naciera. Y no le hacía gracia. Tenía una hija, una buena vida y un negocio boyante. No quería nada más.

Pero aquel hombre había despertado su interés.

No podía negar que, mientras estaban charlando en la cocina, había sentido cosas que creía olvidadas. ¿Cómo no las iba a sentir? Era alto, misterioso, sumamente atractivo. Cualquier mujer habría tenido unas cuantas fantasías al verlo. Tenía el carisma de los chicos malos, aunque el dolor que se adivinaba en sus ojos parecía indicar que no había sido siempre así. Y eso empeoró las cosas, porque ahora también quería cuidar de él.

–¿Va a nevar hoy, mamá?

Joy se acercó a la mesa de la cocina, agradeciendo que la dulce voz de Holly hubiera interrumpido sus pensamientos.

–No lo creo, pero cómete las crepes. Cuando termines, daremos un paseo por el lago.

–¿Podré patinar? –preguntó, esperanzada.

–Bueno, no sé si el lago está suficientemente helado.

Holly asintió y empezó a comer más deprisa, evidentemente ansiosa por salir. No tenía madera de patinadora profesional, pero patinar le gustaba tanto como los cuentos de hadas.

Una vez más, se alegró de no tener que llevarla a un hotel. Holly tenía tanta energía que no habría soportado vivir en una habitación. Pero la casa de Sam era perfecta: acogedora, grande y con mucho espacio a su alrededor.

–¡Hola, Sam! –exclamó entonces la niña–. Mamá ha preparado crepes. Estamos de celebración.

–Vaya…

Joy se giró hacia el hombre que estaba en la puerta y volvió a sentir el estremecimiento que tanto le molestaba. Era enormemente atractivo. Llevaba los vaqueros y las botas del día anterior, pero con una camisa verde y un jersey gris por encima.

Sam la miró con sus ojos cargados de secretos, y ella se preguntó qué estaría pensando. ¿En la forma de echarlas de allí? Quizá, pero no lo iba a permitir, así que alcanzó la cafetera y le sirvió una taza.

–Lo tomas solo, ¿no?

Él asintió.

–¿Cómo lo has sabido?

Joy sonrió.

–No tienes aspecto de que te gusten las tonterías. No te imagino pidiendo un descafeinado con vainilla.

Sam soltó un bufido, alcanzó la taza y soltó un suspiro de placer tras probar su contenido. Joy lo comprendió perfectamente, porque se levantaba media hora antes que Holly para poder disfrutar de una buena taza de café.

–¿Qué estáis celebrando?

Joy se ruborizó un poco.

–Que nos podamos quedar en el castillo, como dice mi hija.

–Cuando termine de desayunar, vamos a patinar en el lago –le informó Holly.

–Bueno, ya lo veremos –dijo su madre.

–Alejaos de él –bramó Sam.

Joy se quedó atónita con su tono de voz, extrañamente brusco. Su actitud había cambiado por completo, y sus ojos tenían un fondo inquietante.

–¿Cómo?

–El lago –dijo Sam, haciendo un esfuerzo por refrenar su ira–. La capa de hielo no es suficientemente ancha. Es peligroso.

–¿Estás seguro?

–¿Quieres arriesgarte a sufrir un accidente? Si sigue haciendo tanto frío, es posible que podáis patinar dentro de una o dos semanas, pero no ahora.

Ella frunció el ceño, porque la superficie del lago parecía bastante firme. Pero, por otra parte, se alegró de que hubiera asumido la situación hasta el punto de insinuar que seguirían allí dos semanas después.

–Está bien. En ese caso, lo dejaremos para otro día.

–Oh, mamá… –protestó Holly.

–Ya has oído lo que dice Sam, cariño. ¿Qué te parece si vamos a pasear por el bosque y buscamos piñas de pinos? –replicó ella, notando el sospechoso y súbito alivio de su anfitrión, que la seguía mirando.

–¿Las podemos pintar para las Navidades?

–Por supuesto que sí. Saldremos en cuanto termine de limpiar la cocina –contestó–. ¿Quieres unas crepes, Sam?

–No, gracias.

–¿Te vas tras una simple taza de café?

Sam se giró hacia ella.

–Recuerda que estás aquí para cuidar de la casa, no de mí.

–Eso no es verdad. También soy tu cocinera –alegó, sonriendo–. Deberías probarlas. Están muy buenas.

–Mamá hace las mejores crepes del mundo.

–Estoy seguro de ello –dijo Joy, sin mirar a la niña.

Joy frunció el ceño, pensando por qué le disgustarían tanto los niños. Pero no se lo preguntó.

–No te molestes en prepararme el desayuno –continuó él–. Generalmente, no tomo nada. Y, si alguna vez quiero alguna cosa, me la prepararé yo.

–Eres un hombre muy obstinado, ¿sabes?

Sam echó otro trago de café.

–Tengo un proyecto que terminar, y debo ponerme con él cuanto antes.

–Bueno, tómate al menos una magdalena. Las he preparado yo misma, hace poco más de una hora.

Sam suspiró.

–Si me tomo una, ¿dejarás que me marche?

–Si dejo que te marches, ¿volverás?

–Vivo aquí, Joy.

Ella sonrió y le dio la magdalena.

–En ese caso, ya eres libre. Venga, márchate.

Él sacudió la cabeza.

–Y pensar que la gente cree que yo soy el raro…

–Yo no creo que lo seas.

Sam la miró con humor.

–Pues díselo a Kaye.

Mientras salía de la cocina, Holly se despidió de él con su entusiasmo habitual. Y Joy tuvo la sensación de que Sam aceleraba el paso para alejarse de la niña tan rápidamente como le fuera posible.

Tras horas más tarde, Sam se arrepentía de no haberse comido las malditas crepes. Olían tan bien que su estómago se había rebelado contra su voluntad; pero ya era demasiado tarde, así que alcanzó la cafetera que tenía en el taller, se sirvió otra taza y miró las migas de la deliciosa magdalena que Joy le había dado.

Aquella mujer era un problema. ¿No se contentaba con alimentar su deseo? ¿También tenía que cocinar bien? Y, por otro lado, ¿quién diablos le había pedido que le preparara el desayuno? Kaye no se lo preparaba nunca. Normalmente, se limitaba a tomar un café y quizá, alguna galleta. Pero se arrepentía de no haberse comido las crepes y de no haberle pedido una segunda o tercera magdalena.

Por desgracia, aceptar su ofrecimiento lo habría obligado a sentarse a la mesa con Holly, cuya alegría e inocencia le hacían tanto daño que no lo podía soportar.

Solo había una cosa buena en el hambre que tenía: que había llegado pronto al taller y había terminado la mesa, cuya superficie brillaba como un espejo a la luz del sol. La había lijado a conciencia antes de barnizarla, hasta el punto de que nadie habría notado los nudos que tenía la madera del ancho pedestal.

El proceso de convertir un tronco en una mesa había sido tan arduo como lento, pero había merecido la pena. Era una pequeña obra de arte, y estaba seguro de que sus clientes sabrían apreciar su valor. Pero eso no era tan importante para él como la satisfacción de crear, una satisfacción que antes conseguía con sus lienzos y pinceles.

Sam frunció el ceño al recordar lo que sentía al pintar, porque era una sensación que no volvería a tener. No se lo podía permitir. Por mucho que le doliera, no tenía más opción que olvidarse de la pintura, tal vez para siempre. Y, aunque nada pudiera llenar ese vacío, se alegraba de poder derivar sus necesidades creativas hacia el trabajo con la madera, que lo mantenía ocupado y aliviaba su dolor.

–¿Es una mesa mágica?

Sam se giró hacia la niña, que acababa de aparecer en la entrada. Su madre le había hecho dos coletas y le había puesto unos pantalones blancos y un parka de color rosa. Estaba sencillamente preciosa. Y él sintió pánico al clavar la vista en sus ojos azules, tan parecidos a los de su madre.

–No, es una mesa normal y corriente –respondió, intentando recuperar el aplomo.

La niña dio un paso adelante y cerró la puerta.

–Parece un árbol.

–Porque antes lo era.

–¿La has hecho tú?

Él asintió, sintiéndose ridículo por asustarse de una niña. Tenía buenas razones para ello, pero eso no justificaba que se comportara como un idiota.

–Sí.

–¿La puedo tocar? –preguntó, dedicándole una sonrisa encantadora.

–No.

La niña ladeó la cabeza y lo miró con interés.

–¿Estás enfadado?

–¿Cómo?

–Mamá dice que a veces me enfado porque necesito echarme una siesta –declaró con solemnidad–. Puede que tú también la necesites.

Sam suspiró. Al parecer, Holly había heredado la habilidad de su madre, quien siempre se las arreglaba para sacarlo de su mal humor.

–No necesito una siesta. Es que estoy ocupado.

Evidentemente, Holly ya se había dado cuenta de que Sam no quería que estuviera allí, pero eso no impidió que empezara caminar de un lado a otro y se pusiera a mirar las herramientas, los tablones y los troncos que tenía contra una de las paredes.

–No pareces ocupado –declaró al cabo de unos momentos.

–Pues lo estoy –insistió.

–¿Y qué estás haciendo?

Sam volvió a suspirar, aunque pensó que era una buena pregunta. Había terminado la mesa, y necesitaba un proyecto nuevo. Sus manos lo necesitaban. Su mente lo necesitaba. Si no se concentraba en algo, empezaría a pensar en un niño que también hacía preguntas constantemente y que también lo miraba con curiosidad.

¿Por qué no le decía que se marchara? ¿Por qué no la llevaba con Joy? ¿Por qué se limitaba a quedarse allí, plantado como una estatua?

Ni él mismo lo sabía.

–¿Qué es esto? –preguntó, señalando un objeto de metal.

–Una abrazadera. Sirve para mantener firmes las piezas en las que trabajo.

La niña se mordió el labio inferior.

–Ah, ya. Es como lo que yo hago con mi muñeca. Me la pongo entre las piernas y aprieto un poco para poder peinarla.

–Sí, algo así –aceptó a regañadientes–. ¿No deberías estar con tu madre?

–Está limpiando, así que me ha dado permiso para salir a jugar, pero a mí me gustaría que nevara para poder hacer bolas de nieve, muñecos de nieve y…

Él se la quedó mirando mientras Holly daba todo tipo de explicaciones sobre las cosas que quería hacer. Era un flujo constante de palabras, un hechizo de energía desbocada del que Sam intentó salir con una pregunta:

–¿No deberías estar en el colegio?

Ella rio y sacudió la cabeza.

–Voy a preescolar porque cumplo años a finales de año y soy demasiado pequeña para ir al colegio, pero mamá ha dicho que puedo tener un perrito como regalo de Navidad y una muñeca en mi cumpleaños, de modo que podré jugar con ella mientras el perrito me lame como el perrito de Lizzie, que…

Sam alcanzó su taza y echó otro trago, esperando que el café le ayudara a entender la extraña y desconcertante lógica de la niña.

–¿Qué es esto? –preguntó ella de repente, alzando una pieza de madera.

Él se maldijo para sus adentros y le quitó el objeto.

–Si vas a quedarte aquí, quítate la chaqueta y cuélgala.

Ella sonrió de oreja a oreja y obedeció al instante, mientras Sam se preguntaba qué demonios estaba haciendo. En lugar de llevarla a la casa y pedirle a su madre que la mantuviera bien lejos de él, le permitía quedarse.

—¡Quiero hacer una casa de muñecas!

Sam intentó convencerse de que no estaba cometiendo un error. A fin de cuentas, podía cambiar de opinión en cualquier momento.

¿O no?

Joy se asomó por la ventana del taller y se llevó una sorpresa al ver que su hija estaba trabajando con el hombre que no quería saber nada de ella.

Por una parte, se alegró de que Sam estuviera tan relajado con la pequeña; por otra, se sintió culpable por haber permitido que Holly se acercara demasiado a él. Su hija era feliz, pero también era obvio que necesitaba un hombre adulto en su vida, el hombre que su padre no había querido ser.

En su momento, Joy se había dicho a sí misma que estaría mejor sin un padre que no deseaba serlo. Y ahora, un hombre al que tampoco le gustaban los niños se dedicaba a trabajar con ella como si fuera lo más natural y placentero del mundo. De hecho, le estaba enseñando a hacer algo, aunque no alcanzaba a verlo desde su posición.

Sin embargo, no necesitaba ver nada para saber que Holly se estaba divirtiendo. Su entusiasmo era tan evidente como el hecho de que Sam se había empezado a abrir al mundo por el simple hecho de pasar un rato con ella. Y se preguntó qué pasaría cuando aquella abertura se hiciera más grande.

Justo entonces, el frío viento la azotó de tal manera que decidió entrar en el taller. Al abrir la puerta, Sam y Holly se giraron, pero su reacción no pudo ser más distinta: la niña sonrió y el hombre frunció el ceño.

–¡Mamá! ¡Ven! ¡Mira lo que estamos haciendo!

Joy se acercó a la mesa de trabajo.

–¡Es una casa de muñecas! –continuó Holly–. La pondremos fuera, para que las hadas puedan vivir en ella y yo las vea desde las ventanas de la casa.

–Una idea excelente.

–Sam dice que, si me acerco demasiado a ellas, se asustarán y se irán. Pero no me acercaré. Estaré tan callada que ni siquiera me verán.

–¿Sam ha dicho eso? –preguntó su madre, mirándolo con humor.

–Sí, efectivamente –contestó él, frotándose la nuca–. Si se limita a mirar desde las ventanas, no saldrá al bosque y no correrá el peligro de… en fin, no importa.

Joy se dio cuenta de que se sentía avergonzado de haber seguido la corriente a Holly con el asunto de las hadas, y a ella le pareció un detalle encantador. Para no gustarle los niños, los trataba muy bien. Cualquiera habría sabido que Sam no era exactamente lo que parecía. Ocultaba muchas cosas, y cuantas más cosas descubría Joy, más quería saber.

–Es una casa preciosa –dijo, pensando que lo era de verdad.

–He pegado las piezas con pegamento, aunque Sam me ha ayudado. Dice puedo atraer a las hadas si meto galletas y otras cosas que les gustan.

–¿Ah, sí? ¿Eso dice? Él se encogió de hombros.

–Bueno, tampoco es para tanto. Holly quería hacer algo de madera y, como tenía unas piezas sobrantes…

–Gracias, Sam.

–No hay de qué –replicó, incómodo–. Pero esto no se puede convertir en una costumbre.

–Descuida –dijo Joy–. No lo será.

Joy se giró y echó un vistazo a la enorme sala. Tenía un montón de ventanas, por donde habría entrado la luz del sol si el cielo no se hubiera cubierto. Todo estaba escrupulosamente limpio y ordenado, empezando por las herramientas, que cubrían dos paredes enteras. Había madera por todas partes, además de unos cuantos troncos.

Segundos después, vio la mesa y le gustó tanto que le pareció increíble que no hubiera reparado antes en ella. De hecho, soltó un suspiro de admiración cuando se acercó a mirarla.

–Es maravillosa –acertó a decir–. ¿La has hecho tú? Él carraspeó.

–Sí.

–Es verdaderamente bonita.

–Y está recién barnizada, así que ten cuidado. No se secará hasta dentro de un par de días.

–No te preocupes, no la voy a tocar.

–Yo tampoco he podido tocarla. ¿Verdad, Sam?

–Pero has estado a punto.

A Joy no le extrañó que su hija hubiera querido tocarla. Hasta ella tuvo que apretar los puños para no caer en la tentación de pasar una mano por la brillante superficie.

–He visto algunas de tus obras en la galería del pueblo, pero esto es… No sé cómo expresarlo –dijo Joy, sacudiendo la cabeza–. Esto es amor.

–Gracias.

–¿Qué vas a hacer ahora?

–Vaya, veo que tu hija ha salido a ti.

–¿Lo dices por la curiosidad? Sí, supongo que sí –admitió ella–. ¿Para qué son los troncos que están en el suelo?

–Para trabajar con ellos cuando me dejen en paz –contestó, retomando su actitud cascarrabias de costumbre.

–No se lo tomes en cuenta, mamá –dijo Holly–. Es un poco gruñón.

Joy soltó una carcajada, y Holly dio una palmadita a Sam.

–Se me ocurre una idea, mamá. ¿Por qué no le cantas como me cantas a mí cuando estoy enfadada y necesito una siesta?

La cara de Sam fue un poema. Evidentemente, no sabía si reír o llorar.

–No me mires así –dijo Joy–. Ya sabes lo que dicen de los niños y los locos… Son los únicos que dicen la verdad.

Sam empezó a perder la paciencia.

–Bueno, ya basta. Todo el mundo fuera.

Sin dejar de reír, Joy se volvió hacia su hija y declaró:

–Vámonos, Holly, que hay que comer. He preparado un guisado. Me ha parecido ideal para un día tan frío como este.

–¿Un guisado? –preguntó él.

–De carne y cebada –contestó, poniéndole el parka a su hija–. Ah, y también he hecho pan.

–Pan –repitió Sam con incredulidad.

A Joy no le extrañó que reaccionara de esa forma, porque Kaye no preparaba nunca ese tipo de cosas. Decía que llevaban mucho trabajo y que no merecía la pena.

–Sí, pan normal y corriente –dijo con una sonrisa–. Si quieres comer algo después de echarte esa siesta, tendrás tu parte en el horno.

–Muy gracioso –protestó.

Joy tomó a Holly de la mano y salió del taller, sonriendo para sus adentros. Mientras se alejaba, notó que Sam la estaba mirando y sintió un extraño acceso de calor, que intentó atribuir a su parka. Pero ni ella misma se lo creyó.

Capítulo Cuatro

De noche, la enorme casa era un mar de silencio. Pero no daba miedo, contrariamente a lo que había pensado Joy.

Al verla, había supuesto que un lugar con tantas ventanas a la oscuridad sería como el decorado de una película de terror. Casi imaginaba la secuencia donde la protagonista camina por unos pasillos tenebrosos cuando, de repente, se le apaga la linterna. Y se había equivocado por completo.

En lugar de resultar amenazadora, tenía algo de refugio. Quizá, por la calidez de sus paredes de troncos. o quizá por otra cosa. Pero, fuera cual fuera la razón, estaba encantada con ella; y lo habría estado más si Sam no hubiera tenido la costumbre de fruncir el ceño constantemente, aunque su actitud cambiaba cuando estaba con Holly. La trataba muy bien. Era paciente y cariñoso.

No lo había vuelto a ver desde que lo dejó trabajando. Había cenado solo y se había encerrado en el salón, sin que Joy se interpusiera en ningún momento en su camino. No le quería molestar, así que acostó a su hija y encendió el televisor para matar el tiempo; pero su mente volvía una y otra vez a Sam, empeñada en conocer sus secretos y el sabor de sus labios.

Al final, se levantó y se puso a caminar en busca de un libro, pensando que la lectura le vendría bien. Y, al pasar por delante de la escalera, se rindió a la tentación de mirar hacia arriba, es decir, hacía el lugar donde estaban las habitaciones de Sam.

Joy subía por las mañanas a limpiar, aunque todo estaba tan limpio que casi no hacía falta. Sin embargo, la excusa de quitar el polvo y pasar la aspiradora le había dado la ocasión de ver dónde dormía y cómo vivía. Su dormitorio era gigantesco; su cama, tan grande que habrían cabido cuatro personas; y el cuarto de baño, tan bonito que le arrancaba un suspiro cada vez que entraba.

Evidentemente, a Sam le gustaban los lujos. Paredes de pálido mármol verde, una ducha monumental y un jacuzzi pegado a un ventanal gigantesco, para poder disfrutar de las vistas. Vivía muy bien. Nadie lo habría podido negar. Pero también estaba muy solo, como demostraba el hecho de que no hubiera nada personal en sus habitaciones. Ni cuadros en las paredes ni objetos decorativos ni fotografías de ninguna clase.

Por supuesto, eso aumentó su curiosidad. Estaba con un hombre increíblemente sexy que había optado por alejarse del mundo y, para empeorar las cosas, le gustaba. ¿Se estaría dejando engañar por sus propias circunstancias? Era posible, teniendo en cuenta que había pasado mucho tiempo desde la última vez que la habían besado, tocado, amado.

Joy sacudió la cabeza y siguió adelante sin darse cuenta de que sus pasos la llevaban al salón, donde se detuvo en seco. Sam estaba en uno de los sillones de cuero, justo enfrente de la chimenea de piedra. Había apagado la luz, y el destello de las llamas coqueteaba con las superficies y proyectaba sombras por todas partes.

–¿Necesitas algo? –preguntó él.

–Sí, un libro –acertó a responder.

Joy entró y echó un vistazo a su alrededor. El salón era imponente de día, pero no tanto como de noche.

–Te lo devolveré cuando lo termine –continuó, nerviosa con la mirada hipnótica de sus ojos marrones–. Es que la televisión me aburre.

–Llévate lo que quieras.

–Gracias.

Joy pasó cerca de Sam, y lo miró con más detenimiento. Tenía las piernas estiradas, con los pies apoyados en el borde de la chimenea. Y miraba el fuego con intensidad, como si estuviera buscando algo en él.

–¿Te encuentras bien?

–Sí –contestó sin mirarla.

Joy se detuvo delante de una de las estanterías. Había de todo, con gran profusión de novelas de ciencia ficción y serie negra, que casualmente eran sus favoritas.

–Vaya, tienes un montón de libros.

–Sí. Elige uno.

–Lo estoy intentando, pero hay tanto donde elegir… –replicó, sacando uno de los volúmenes–. Oh, no, no me gustan las novelas de terror. Ni siquiera me gustan las películas de terror. Me asustan demasiado.

–Ya.

Joy sonrió. Sus monosílabos parecían indicar que

la quería lejos de allí; pero no le había pedido que se fuera, así que siguió hablando para que ver qué pasaba.

–Lo intenté una vez. Fui a ver una película de terror con una amiga mía, pero me dio tanto miedo que me salí y estuve media hora en el vestíbulo del cine.

Sam se giró hacia ella y la miró como si hubiera despertado su interés.

–No volví a entrar hasta que convencí a uno de los acomodadores para que me dijera qué personajes morían en la película. Pensé que así me asustaría menos.

Él soltó un bufido.

–Pero no sirvió de nada, ¿sabes? Volví con mi amiga, me senté a su lado… y me tapé los ojos hasta el final. Increíble, porque sabía lo que pasaba.

–Sí.

–Sin embargo, eso no significa que sea de las que solo disfrutan con las películas románticas. También me gustan las de aventuras, donde estallan un montón de cosas.

–¿En serio?

–Sí. De hecho, me encanta la serie de *Los Vengadores*. Tal vez porque Robert Downey Junior me parece un hombre muy atractivo –le confesó–. ¿Te gustan esas películas?

–No sé, no las he visto.

–¿De verdad? Eres la primera persona que conozco que no las ha visto.

–Es que no salgo demasiado.

–Qué lástima.

–Si me pareciera una lástima, saldría más.

Joy rio.

–Sí, eso tiene su lógica. Pero no necesitas salir para ver películas. Las puedes comprar o descargar –alegó ella.

–Vas a seguir hablando, ¿no?

–Probablemente.

Él sacudió la cabeza y volvió a mirar el fuego, con la evidente intención de desanimarla y conseguir que se fuera. Pero no le salió bien, porque Joy alcanzó un libro de misterio que no había leído, se apoyó en el respaldo de su sillón y dijo:

–Volviendo a las películas, también me gustan las navideñas. Y, cuando más sensibleras, mejor.

–¿Sensibleras?

–Sí, es que me encantan los finales felices. Incluso he llegado a llorar con los anuncios navideños.

–Pues yo detesto las Navidades.

–Ya me había dado cuenta.

Joy ladeó la cabeza para verlo mejor y añadió:

–Pero no soy ninguna exagerada, ¿sabes? Hay gente que compra las guirnaldas en septiembre y las pone de inmediato. ¿Te lo puedes creer? Yo no decoro la casa hasta diciembre.

Sam se giró otra vez hacia ella.

–No estoy de humor para hablar, Joy.

–No te preocupes. Ya hablo yo por los dos.

–No me digas.

Ella volvió a sonreír.

–Es posible que no te hayas dado cuenta, pero no puedes conocer a las personas si te niegas a hablar con ellas.

–Puede que no quiera conocer a nadie.

–Y puede que no quieras quererlo.

–¿Cómo? ¿Qué significa eso?

–Oh, vamos… te he visto con Holly.

Sam frunció el ceño.

–Eso ha sido una excepción.

Joy se apoyó un poco más en el sillón, para dejar claro que no se iba a ir.

–Di lo que quieras, pero mi hija estaba encantada contigo. No deja de hablar de la casa de muñecas que habéis hecho. Se ha quedado dormida mientras me contaba una historia sobre la familia de hadas que se va a mudar a ella.

Sorprendentemente, la expresión de Sam se volvió más sombría, como si la felicidad de una niña le molestara sobremanera.

–No habrá sido gran cosa para ti, pero significa mucho para ella. Y también para mí –prosiguió–. Quería que lo supieras.

–Pues ya lo sé.

Justo entonces, el viento gimió de un modo aterrador, casi fantasmal. Joy lanzó una mirada al ventanal delantero y, a continuación, cambió la oscuridad del exterior por la oscuridad de los ojos de Sam.

¿Qué estaría pensando? ¿Por qué insistía en mirar las llamas?

–Deberíamos poner un árbol de Navidad junto a la ventana –dijo, sentándose en el reposabrazos–. El cristal reflejaría la luz y…

–¿Cómo quieres que te lo diga? –la interrumpió–. No me gustan las Navidades.

–Lo sé, pero tú no tendrías que hacer nada. Lo decoraríamos Holly y yo.

Él se levantó, alcanzó el atizador y movió los leños, provocando una cascada de chispas. Luego, la miró con frialdad y dijo:

–Ni árbol ni decoraciones Navideñas.

–Vaya, eres como Grinch, el personaje de esa película que…

–No estás aquí para imponerme tus gustos sobre la Navidad –le recordó Sam–, sino para cuidar de la casa.

Joy pensó que había ido demasiado lejos con él, pero no se dejó engañar por su brusco tono de voz. Lo había visto con Holly. Había visto lo paciente y cariñoso que podía llegar a ser. Había visto al hombre que se ocultaba tras esa máscara de seriedad.

–Lo sé. Pero, si cambias de idea, puedo hacer muchas cosas al mismo tiempo.

Joy le enseñó el libro que había elegido y añadió, antes de marcharse:

–¿Sabes una cosa, Sam? No me das miedo. Deja de intentarlo con tanto ahínco, porque no sirve de nada.

Todas las noches, Joy entraba en el salón. Todas las noches, Sam se decía que no la quería allí. Y todas las noches, se sentaba en el sillón a esperarla.

No hablaba con ella, pero eso no impedía que ella hablara por los codos, por muy desdeñoso que se mostrara. Hablaba de todo tipo de cosas, desde su negocio hasta el incendio que la había obligado a dejar su casa, pasando por mil y una anécdotas de la vida de Holly. Su voz le frustraba y seducía a la vez entre la oscuridad de la estancia y el destello del fuego. Era como si estuvieran solos en el mundo. Y el tiempo se le pasaba volando.

Sin embargo, Sam también lo encontraba irritante. Llevaba cinco años en aquel lugar, y nunca había querido compañía. De hecho, se llevaba bien con Kaye porque sabía limpiar y cocinar sin interponerse en su camino. Y de repente, se dedicaba a sentarse en el salón con la esperanza de que Joy apareciera y destrozara la soledad que tanto le gustaba.

Afortunadamente, los días no tenían nada que ver con las noches. Joy y su hija mantenían las distancias de un modo tan perfecto que parecían fantasmas. De vez en cuando, Sam alcanzaba a oír la risa de la pequeña, que su madre acallaba con rapidez. No las veía nunca. La comida aparecía en el comedor como por arte de magia, y cualquiera habría dicho que las sábanas de su cama se cambiaban solas.

¿Cómo lo conseguía? ¿Cómo se las arreglaba para no coincidir con él en la misma habitación? Era desconcertante, aunque no tanto como el hecho de que despertara su interés. A fin de cuentas, no tenía ni pies ni cabeza. Estaban haciendo lo que les había pedido y, en lugar de alegrarse, se pasaba la vida esperando a que una de las dos apareciera, lo cual le mantenía en tensión.

De hecho, pensaba tanto en ellas que no había logrado empezar con su nuevo proyecto. Sencillamente, no se podía concentrar.

Un día, Joy y Holly se fueron a Franklin. Sam lo supo porque Joy le dejó una nota en la mesa del comedor, junto a la magdalena de arándanos y la taza de café que le dejaba todas las mañanas. En principio, tendría que haber estado contento. Era lo que quería, ¿no? Las había estado rehuyendo desde el primer día, pero ahora le molestaba que Joy mantuviera las distancias con tanta facilidad.

La situación había llegado a ser tan absurda que miraba por la ventana constantemente, esperando que volvieran. Y al cabo de un rato, se empezó a preocupar. Joy tenía un coche viejo y no muy bien preparado para circular por una zona tan montañosa. Además, estaba nevando y, aunque solo fueran unos copos, se puso a pensar en la carretera y en las placas de hielo que se formaban.

¿Qué pasaría si pasaba por una y perdía el control del vehículo?

Si hubiera sabido que tenían intención de ir al pueblo, las habría llevado él. Pero lo había sabido demasiado tarde. Y todo, porque solo se veían de noche, en el salón.

Naturalmente, Sam intentó convencerse de que estaba sacando las cosas de quicio. Hasta intentó convencerse de que no le importaba su seguridad. Y, naturalmente, fracasó de tal forma que siguió mirando la ventana con la esperanza de que llegaran de una vez.

Ese fue el motivo de que viera a Ken Taylor en cuanto entró en la propiedad. Taylor era el dueño de Crafty, la galería y tienda de regalos de Franklin, que funcionaba gracias a los turistas que iban a esquiar en invierno y a disfrutar del lago en verano. Vendían de todo, desde obras de artistas locales hasta joyas y velas, pasando por los muebles y objetos decorativos que fabricaba Sam en su taller.

Contento de tener una distracción, se puso su cazadora de cuero negro, salió al frío exterior y, tras levantarse el cuello de la prenda, caminó hacia el hombre que acababa de salir de su camioneta.

–Hola, Sam.

Ken le estrechó la mano. Era un hombre de unos cuarenta años, con una melena negra que se había recogido aquel día. Llevaba un pesado abrigo de color marrón, una camisa de franela, unos vaqueros y, por supuesto, unas botas.

–Gracias por haber venido a buscar la mesa. Es todo un detalle.

–Tú sigue haciendo muebles y déjame a mí lo de recogerlos –dijo con una sonrisa–. Pero deberías bajar alguna vez. Así verías la reacción de la gente que compra tus cosas. Les gustan tanto que solo les falta aplaudir.

A Sam le pareció extraño que la carpintería, el entretenimiento que se había buscado para satisfacer en parte sus necesidades creativas, se hubiera convertido en algo más. Sin embargo, le gustaba saber que la gente apreciaba su trabajo.

Cuando pintaba, los periodistas no dejaban de presionarlo para que les concediera una entrevista o hiciera alguna declaración. Tenía bastante fama, y había conseguido que dos de sus cuadros se expusieran en museos europeos. Estaba tan concentrado en su trabajo que terminó descuidando lo demás, empezando por su propia vida.

Sin darse cuenta, había dejado de prestar atención a lo más importante y, antes de que pudiera aprender la lección y corregir sus errores, lo perdió todo. Solo le quedaban sus cuadros y su nombre en el mundo del arte. No tenía a nadie. El mundo se había quedado repentinamente vacío. Y el aplauso del público le dejó de interesar.

–Bueno es saberlo, pero prefiero quedarme en casa –replicó, sin querer dar explicaciones–. Además, el misterio del ermitaño que vive en la montaña mejora las ventas, ¿no? Para qué estropearlo.

Ken lo miró con intensidad, como haciendo un esfuerzo por entenderle. Pero, un segundo después, sacudió la cabeza.

–Como quieras. Aunque, si cambias de opinión, Emma estaría encantada de tenerte en alguna de sus veladas de artistas –dijo, refiriéndose a su esposa.

Sam soltó una carcajada.

–Eso suena espantoso.

Ken también rio.

–Suena espantoso y lo es. Emma me vuelve loco con sus notas de prensa y sus canapés, que siempre encarga en Nibbles. La última vez que organizó una, la anunció en varias emisoras de radio de Boise. ¿Y sabes lo que hizo el artista invitado? Insultar a todo el mundo –declaró, sacudiendo la cabeza–. No entenderé nunca a los malditos artistas, aunque me guste vender su obra. Y no te ofendas, por favor.

–No me ofendo. Te comprendo perfectamente, porque he conocido a unos cuantos como el que mencionas.

–Bueno, Emma lo disfruta tanto como yo. Y reconozco que vendemos muchas obras gracias a sus veladas. Pero mentiría si afirmara que me divierten… Lo único que me gusta de ellas es la comida. Los de Nibbles preparan unos canapés de queso tan buenos que sería capaz de comerme media docena de un bocado.

Sam ya no estaba escuchando a su amigo. Había ido a demasiadas veladas como la que estaba describiendo, y se había hartado de tal manera que no quería saber nada de ellas. Además, su mundo había cambiado mucho desde entonces. Ya no se imaginaba en aquel espectáculo de relaciones públicas.

–Hablando de comida, acabo de ver que Joy y Holly están en Nibbles.

Sam lo miró con interés, y Ken se encogió de hombros.

–Como sabes, Nibbles es de Sean y Deb Casey, y Joy y Deb son grandes amigas. Supongo que habrá ido a verla, porque hace tiempo que no coinciden. Por cierto, ¿qué tal te va con la madre y la hija?

Sam se preguntó qué podía decir. ¿Que deseaba a Joy con toda su alma? ¿Que echaba de menos las interrupciones de Holly? ¿Que, por mucho que le molestaran, no quería que se marcharan de allí? Obviamente, no podía responder eso. Ken había pensado que estaba loco. Y quizá lo estuviera.

–Bien, me va bien –respondió.

–Me alegro.

Sam regresó al lugar donde había dejado la mesa, la alzó y la llevó a la camioneta de Ken, donde quitó la lona que la tapaba.

–Guau… –dijo su amigo, asombrado–. Tienes un talento verdaderamente especial. Esto es una obra de arte. Los clientes van a hacer cola para comprarla.

Ken se inclinó, examinó el mueble con detenimiento y se volvió a incorporar.

–Es tan bonita que podría estar en las mejores galerías del mundo –añadió.

Sam se puso tenso. Ya había estado en ese tipo de galerías, y no quería volver. Le recordaban un pasado que quería dejar atrás.

–Yo prefiero tu tienda –dijo.

Ken lo volvió a mirar con atención, preguntándose otra vez por sus motivos. Pero eso no era nuevo. Los habitantes de Franklin se hacían preguntas sobre él desde que había llegado a la montaña. Y no habría podido responder a ellas en ningún caso, porque ya no era el hombre que había sido.

–Uno de estos días, tendrás que explicarme por qué te escondes en este lugar –declaró Ken, dándole una palmadita en la espalda–. Sin embargo, no seré yo quien se queje por tener un artista como tú. No soy tonto.

Sam sonrió. Era lo más parecido a un amigo que había tenido en muchos años, pero no se sentía capaz de contárselo, así que volvió a tapar la mesa con la lona y la ató para proteger el mueble del viento y de la nieve, aunque Ken puso una segunda para estar más seguro. Sabía que Sam era un hombre precavido, y que se habría llevado un disgusto si su obra se hubiera estropeado antes de llegar a la tienda.

Luego, el galerista se sentó al volante y declaró:

–Tengo que decirte una cosa, aunque sé que te vas a negar.

Sam volvió a sonreír, porque sabía lo que iba a decir. ¿Cómo no lo iba a saber, si siempre era lo mismo?

–¿Por qué no bajas a Franklin esta noche? Nos podríamos tomar unas cervezas.

–No, gracias.

Sam estuvo a punto de soltar una carcajada al ver la cara de Ken. Pero, curiosamente y por primera vez, sintió la tentación de aceptar el ofrecimiento.

–Bueno, tenía que intentarlo. Pero si cambias de idea…

–Te lo haré saber. Gracias por haber venido a por la mesa.

–Te llamaré cuando la vendamos.

–No hace falta. Confío en ti.

–Ojalá fuera cierto –dijo, escudriñándolo.

–Lo es.

–En términos profesionales, sí. Pero quiero que sepas que puedes confiar en mí al margen de los negocios.

Conocía a Ken y a su esposa desde hacía cuatro años y, si hubiera querido tener amigos, habrían sido los mejores candidatos. Pero, si abría el corazón a la gente, tendría que abrírselo también al pasado. Y cuantas menos relaciones tuviera, menos riesgo correría.

–Gracias, Ken.

–De nada.

Ken arrancó y se fue camino abajo, dejándolo sin más compañía que el viento y los copos de nieve. Dejándolo exactamente como quería.

¿O ya no lo quería?

Capítulo Cinco

–Mírala con el perrito. Está preciosa, ¿verdad?

Joy suspiró sin apartar la vista de Holly, que se había puesto a jugar con un cachorro negro de labrador.

¿Cómo era posible que significara tanto para ella? Ni la propia Joy lo sabía, pero había sido feliz desde que supo que se había quedado embarazada, y no había dejado de serlo en ningún momento; ni siquiera, cuando supo que sería madre soltera y que tendría que criarla en una situación económica que no era precisamente boyante.

Por fin tenía su propia familia. Su hija.

En aquella época, Joy estaba viviendo en Boise. Acababa de abrir su negocio de asesoría de Internet, y trabajaba con varios establecimientos de la localidad; entre ellos, con Mike's Bikes, la tienda de motos de Mike Davis.

Mike era un hombre tan atractivo como encantador. Joy se había enamorado de él a primera vista, y hasta había llegado a convencerse de que su relación sería eterna; pero se rompió el día en que le dijo que estaba encinta, porque Mike nunca había querido ser padre.

Fuera como fuera, Joy no se arrepentía de haber estado con él. Lo habían pasado bien. Se habían divertido mucho. Y, por otra parte, se separaron en tan buenos términos que Mike se prestó a firmar un documento en el que renunciaba a cualquier posible derecho sobre su hija.

Sin embargo, había llegado el momento de cambiar de vida y, como Joy necesitaba empezar de cero, se fue a un lugar del que solo tenía buenos recuerdos: Franklin, donde había pasado un verano inolvidable cuando solo era una niña que iba de casa de acogida en casa de acogida. Y tampoco se arrepentía de haber tomado esa decisión. Había hecho amigas y había echado raíces. Había encontrado un hogar.

Deb Casey, que era la mejor de esas amigas, se acercó a ella y miró a las dos niñas que estaban jugando en el exterior del local.

—Está tan loca por ese cachorro como Lizzie.

Joy suspiró y se apoyó en el mostrador.

—Lo sé. Mi hija está empeñada en que le compre uno por Navidad.

—De color blanco —le recordó.

Joy sacudió la cabeza.

—He intentado encontrar uno en Boise, pero no lo consigo. Se va a llevar un buen disgusto como fracase.

Deb dejó los pasteles que estaba decorando con chocolate y la miró.

—Bueno, faltan varias semanas para la Navidad. Puede que lo encuentres.

—Eso espero —dijo, resignada—. De lo contrario, tendrá que esperar.

—Oh, sí, como los niños saben esperar tan bien… —se burló su amiga.

—No me estás ayudando mucho, ¿sabes?

–Venga, tómate un pastelito. Es la única ayuda que necesitas.

–Me has convencido.

Joy alcanzó uno y se lo metió en la boca. Eran una verdadera delicia, al igual que sus merengues de limón y sus galletas de chocolate, que le quitaban de las manos. Nibbles solo llevaba abierto un par de años, pero había tenido éxito desde el primer día. ¿Cómo no lo iba a tener? No había muchos locales en la zona que ofrecieran cuatro o cinco tipos de sándwiches, unos dulces que eran una tentación y un ambiente tan agradable.

–Esto debería ser ilegal –dijo, relamiéndose.

–¿Qué dices? Si lo fuera, no los podría vender –replicó Deb con sorna–. ¿Qué tal te va con el viejo de la montaña?

–No es un viejo.

–Te estaba tomando el pelo, Joy. Lo vi el verano pasado, cuando se dignó a aparecer por Franklin, y me quedé como si hubiera visto un unicornio. Un unicornio que estuviera buenísimo, por cierto.

Joy se comió otro pastel.

–Sí, supongo que no está mal.

–¿Por qué será tan asocial? Siento lástima de ti cuando pienso que lo tienes que aguantar un mes entero. ¿Con quién vas a hablar?

–Hablo con él.

–Ya, pero ¿él habla contigo?

Joy se encogió de hombros.

–No, aunque quizá sea porque yo hablo demasiado. No dejo que meta baza.

–Pues conmigo no te funciona.

–Lo nuestro es distinto. Somos amigas.

–Sí, supongo que sí –dijo Deb, sonriendo–. Pero, francamente, no entiendo que te sientas en la necesidad de defender a ese hombre. ¿Ya estás otra vez de protectora?

–No, qué va. No se trata de eso.

–Ya –replicó su amiga–. No pretenderás que me lo crea, ¿verdad? Tú estás tramando algo.

–Bueno, admito que hay algo, sí, pero no sé qué.

–¿En serio? Jamás habría imaginado que Sam Henry te podía llegar a interesar. Es demasiado frío, ¿no?

Joy pensó que Sam estaba muy lejos de ser un hombre frío, aunque intentara disimularlo. Y quizá le gustara por esa razón, por el misterio que le rodeaba. Desde su punto de vista, la mayoría de los hombres eran transparentes; pero Sam tenía un abismo profundo en su interior, y ardía en deseos de conocerlo. Quería saber por qué se había encerrado en sí mismo. Quería sacarlo de su encierro.

–Holly no deja decir que es un encanto, aunque un poco gruñón.

Deb soltó una risita.

–¿Y es cierto?

–Lo es, y me gustaría saber por qué.

–Yo te podría echar una mano en ese sentido.

Joy la miró con sorpresa.

–¿Tú?

Deb suspiró.

–Me preocupé cuando supe que ibas a estar con él. Tenía miedo de que fuera un asesino de los que guardan los huesos de sus víctimas.

–No deberías ver tantas películas de terror.

Deb sonrió.

–¿Qué le voy a hacer? Me gustan mucho –se defendió su amiga–. Pero, sea como sea, me conecté a Internet y empecé a buscar información sobre nuestro ermitaño local.

–¿Cómo?

Joy se quedó perpleja con Deb, aunque no tenía derecho a protestar. Ella también había estado a punto de investigar a Sam. De hecho, solo se había refrenado porque quería que fuera él quien le hablara de sí mismo.

–Sabes que era pintor, ¿no?

–Sí, en efecto –dijo, sentándose en uno de los taburetes.

–Pues era increíblemente famoso –continuó Deb–. Pero, hace cinco años, abandonó la pintura. Dejó su fama, su fortuna y su carrera y se vino a vivir a las montañas.

–No me estás diciendo nada que no sepa.

Deb suspiró.

–No seas tan impaciente, que estoy a punto de llegar adonde iba –dijo–. Su mujer y su hijo de tres años murieron en un accidente de tráfico.

Joy se sintió como si le hubieran dado un puñetazo en el estómago. No podía ni imaginar el horror de sufrir esa tragedia. No podía ni imaginar la pesadilla que habría sido para él.

–Oh, Dios mío.

–Fue hace cinco años, según parece. Cuando me enteré, me quedé tan espantada como tú.

Joy se acordó de la mirada de Sam y de la oscuridad que había en ella. Ahora lo comprendía. Había pasado mucho tiempo, pero era obvio que estaba lejos de haberlo superado. Había huido a una montaña para escapar del dolor que asomaba en sus ojos con tanta frecuencia. Su oscuridad no era más que un reflejo de ese dolor.

Instintivamente, se acercó a la cristalera del restaurante y volvió a mirar a las niñas, que seguían jugando con el cachorro. ¿Qué habría sentido Sam al enterarse de que su hijo había fallecido? ¿Cómo se podía afrontar la pérdida de un ser tan pequeño e inocente?

Los ojos de Joy se llenaron de lágrimas.

—Eso explica muchas cosas —acertó a decir.

Deb se acercó a su amiga.

—Me temo que sí. Pero piénsatelo dos veces antes de salir al rescate de Sam Henry. Han pasado cinco años desde entonces, y sigue sin poder hablar con nadie. Es posible que nosotras seamos las únicas personas de Franklin que lo sabemos.

—Salvo que los demás también se dediquen a investigar a la gente por Internet.

Deb se sintió avergonzada.

—Vale, tienes razón, no debería haberlo hecho. Es un atentado contra su intimidad.

—Un atentado del que me alegro —le confesó Joy—. ¿Por qué no lo investigué yo misma? Mi trabajo me obliga a estar todo el día en Internet.

—Puede que fuera por eso, porque Internet forma parte de tu trabajo. En cambio, para mí es una simple fuente de información.

–Sí, es posible. Lo cual me recuerda que he venido a verte para actualizar tu página web.

Como asesora digital, Joy diseñaba y mantenía páginas web de muchos negocios, desde locales de Franklin hasta las páginas personales de varios novelistas del país. Era un trabajo perfecto para ella, porque le permitía estar en casa y cuidar de Holly; pero Deb tenía razón: como su relación con Internet era de carácter laboral, no usaba la Red para divertirse y, en consecuencia, no se había molestado en investigar a Sam.

En cualquier caso, eso carecía de importancia. Había descubierto su gran secreto, y ya no le extrañaba que se sintiera tan incómodo con Holly. No es que no le gustaran los niños; es que había perdido al suyo, y se sentía terriblemente mal cuando veía a la pequeña.

Pero ese detalle daba más valor a lo que había hecho. A pesar de su angustia, a pesar de la desesperación que sin duda le causaba, había sido maravilloso con su hija. Había permitido que trabajara con él. Había permitido que la ayudara a hacer esa casita. Había pasado tiempo con ella. Había conseguido que Holly se sintiera importante y le había dado la satisfacción de hacer algo con sus propias manos.

Sí, nadie podía negar que Sam se había encerrado en su propia prisión, pero era evidente que una parte de él deseaba fugarse. Y ella le podía ayudar.

Hasta entonces, había limitado sus intentos a las apariciones nocturnas en el salón. Sam decía que necesitaba más espacio, y ella se lo concedía; pero cabía la posibilidad de que no necesitara más espacio, sino menos. Llevaba demasiado tiempo solo, y no necesitaba ser muy lista para darse cuenta de que se había acostumbrado a una situación aberrante.

Además, tampoco era tan difícil. Si no quería salir al mundo, el mundo tendría que ir a él.

–Oh, no. Lo estoy viendo en tu cara. Quieres salvar a ese hombre.

–Yo no he dicho eso –se defendió Joy.

–Ni hace falta que lo digas.

–Odio ser tan transparente…

–No, es que te conozco muy bien –dijo Deb–. Pero ten cuidado con lo que haces. Puede que Sam no quiera que lo salven.

–Puede que no, pero lo necesita.

–¿Estás pensando en algo?

Joy estaba pensando en muchas cosas, aunque ninguna era tan relevante como el hecho de que Sam le gustaba. Lo tenía constantemente en la cabeza, y lo iba a devolver a la vida por mucho que se resistiera.

–Estoy pensando que me he encaprichado de él.

–Oh, vaya. ¿Es grave?

–Bastante –respondió Joy en voz baja.

–Sí, se te ve en los ojos –afirmó Deb, poniéndole una mano en la espalda.

Joy se encogió de hombros.

–Va a ser difícil. Las aguas de Sam son profundas.

Deb sonrió y dijo:

–Bueno, yo no me preocuparía por eso. Siempre has sido buena nadadora.

***

Aquella noche, las cosas fueron distintas.

Cuando Sam apareció en el comedor, Joy y Holly lo estaban esperando. Y se quedó desconcertado, porque era la primera vez que coincidía con ellas a la hora de la cena.

–Hola, Sam –dijo la niña.

Él tardó un momento en reaccionar.

–¿Qué es esto?

–Una cena comunal.

Joy alcanzó el estofado que había hecho, le sirvió un plato en el sitio donde solía sentarse y, a continuación, llenó dos vasos de vino.

–El estofado está muy bueno –afirmó Holly.

–No lo dudo –replicó Sam, sentándose a regañadientes–. Pero esto no forma parte de nuestro acuerdo.

Joy lo miró a los ojos. Evidentemente, se sentía acorralado.

–Bueno, eso no es del todo cierto. Acordamos que limpiaría y cocinaría para ti, pero no acordamos que no comeríamos juntos.

–Se daba por sentado.

Ella ladeó la cabeza y fingió quedarse pensativa.

–¿Ah, sí? Pues no me había dado cuenta –dijo–. En cualquier caso, podemos cenar y hablar de ello durante la cena.

–Está muy buena –insistió Holly, alcanzando su vaso de leche.

Él respiró hondo y suspiró.

–Está bien, pero esto no significa nada.

–Por supuesto que no –replicó Joy, haciendo un esfuerzo por disimular su felicidad–. Sigues siendo el cascarrabias que todos conocemos. Tu reputación no corre peligro.

Sam frunció el ceño y probó el estofado.

–Pues sí que está bueno –admitió.

–¡Te lo dije! –se jactó la pequeña.

–Sí, es verdad –replicó él, mirando a la niña con humor.

–¿Sabes una cosa? Hoy he jugado con el cachorro de Lizzie. Me lamió la cara otra vez, y yo me reí y salimos corriendo y Lizzie se cayó al suelo pero no lloró porque…

Joy sonrió a su hija, asombrada con su talento para pasar de un tema a otro y lanzarse a explicaciones interminables sin demasiados puntos ni comas. Cada vez que la miraba, se sentía bien con el mundo.

Por desgracia, la situación de Sam era muy diferente. Tenía que ser duro lo de escuchar a una niña tras haber perdido a su hijo. Pero no se podía rendir a su desolación; porque, si se rendía, acabaría convertido en un desdichado y tiraría su vida por la borda.

–Cuando tenga mi propio cachorro, Lizzie podrá venir a mi casa y, como ella tendrá uno de color negro y yo tendré uno de color blanco, será más divertido –continuó Holly.

–Se ha obsesionado con eso –murmuró Joy.

–¿Y qué? –preguntó él, sin dejar de comer.

Joy se levantó con la excusa de rellenarle el plato y le dijo en voz baja:

–Que no encuentro cachorros de color blanco.

–Lo tendré por Navidad, ¿verdad? –preguntó la niña, que no los había oído.

–Bueno, a veces no podemos tener lo que queremos…

–Si no eres buena, no. Pero yo he sido buena, ¿verdad, mamá?

–Sí, claro que sí.

Joy se maldijo para sus adentros. No tenía más remedio que encontrar ese perrito. De lo contrario, su hija se iba a llevar el mayor disgusto de su vida.

–Le he dicho a Lizzie que hemos hecho una casita para las hadas, y ella me ha dicho que hay un montón en su casa, pero yo no lo creo porque…

–¿No se calla nunca? –dijo Sam a Joy.

–Es que está entusiasmada –le explicó, encogiéndose de hombros–. Las Navidades le gustan mucho.

–Ah, sí, las Navidades –declaró él, con gesto sombrío.

Joy se arrepintió de haberlas mencionado. Estaba decidida a salvar a Sam, pero no lo conseguiría si se dedicaba a mencionar la soga en casa del ahorcado.

–Sé que no quieres árboles navideños ni…

–No, no los quiero –la interrumpió.

–Lo comprendo, pero Holly y yo vamos a estar aquí, y ella necesita un poco de fantasía –alegó Joy–. Sin embargo, lo limitaremos al saloncito de la suite de Kaye, y no pondremos demasiadas cosas.

Sam frunció el ceño y abrió la boca con la evidente intención de prohibírselo. Pero no debió de encontrar ningún argumento que no lo dejara en mal lugar, porque se limitó a decir:

–Vale.

Ella le puso una mano en el brazo, con gesto afectuoso. Y sintió tal descarga de placer que la apartó enseguida.

–No te preocupes. Haremos lo posible por no parecer demasiado contentas cuando estemos contigo. No quiero incomodarte con nuestro espíritu navideño.

Sam la miró con sorna.

–Gracias.

–De nada. Pero ten cuidado, que puedes correr el peligro de sonreír alguna vez, y tampoco quiero que la sonrisa se te hiele en la cara.

Holly rompió a reír.

–Eso es una tontería, mamá. Las sonrisas no se congelan. ¿Verdad, Sam?

Los ojos de Sam se iluminaron con algo que, precisamente, se parecía mucho a una sonrisa.

–Verdad. Las sonrisas no se congelan.

–No, pero se quedan algo rígidas –declaró Joy.

–Ah, ¿te referías a eso? –se burló Sam–. Sí, supongo que la rigidez se me da bien.

–¿Puedo levantarme de la mesa, mamá? Ya he terminado de cenar.

–Por supuesto, cariño. ¿Por qué no vas a buscar las piñas que hemos recogido hoy? Las pintaremos cuando termine de lavar los platos.

–¡Bien! –exclamó la pequeña, levantándose de su silla–. ¿Quieres pintarlas conmigo, Sam? También tenemos purpurina, y pegamento para pegarlas.

–No, gracias –respondió Sam con dulzura–. Tengo cosas que hacer.

–Corre, ve a divertirte un rato –dijo Joy–. Estaré contigo enseguida.

–Vale, mamá. ¡Adiós, Sam!

Holly se fue a la cocina a toda velocidad, ansiosa por empezar a pintar piñas. Y, cuando los dos adultos se quedaron a solas, ella declaró:

–Gracias por no pincharle el globo de las Navidades.

Él arqueó una ceja.

–No soy un monstruo, Joy.

–No, claro que no –dijo, pensativa.

–Mira, me parece bien que decoréis parte de la casa, pero no intentes arrastrarme a eso. ¿Entendido?

Joy asintió y le estrechó la mano con solemnidad. Por supuesto, no tenía intención alguna de cumplir ese acuerdo. Lo arrastraría quisiera o no, y estaba convencida de que, cuando terminara con él, colgaría guirnaldas en el árbol de Navidad y cantaría villancicos.

–Entendido.

Sus miradas se encontraron entonces, y los pensamientos de Joy cambiaron de dirección radicalmente. Ya no le importaban las Navidades, sino aquellos ojos que aceleraban su pulso y le dejaban la boca seca.

–Bueno, será mejor que retire los platos y limpie la cocina –dijo con incomodidad–. Tengo que pintar piñas.

Sam alzó una mano y le acarició la mejilla.

–Me parece bien. Estaré en el salón.

Joy se apartó.

–Ah, Holly y yo hemos preparado unas pastas de Navidad –dijo, empezando a recoger–. Te llevaré unas cuantas para que te las tomes con el café.

–No hace falta.

–Si es por el nombre que tienen, llámalas pastas de invierno. Quizá te sientas mejor.

Él soltó una carcajada y se levantó de la silla. Pero antes de salir, dijo:

–No te rindes nunca, ¿verdad?

–No, aunque esa no es la pregunta adecuada.

–¿Y cuál es la pregunta adecuada?

–Si tú quieres que me rinda.

Sam no dijo nada. La miró en silencio durante unos segundos y, acto seguido, se fue. Pero Joy sonrió para sus adentros, porque la ausencia de respuesta era respuesta más que suficiente. Sin pretenderlo, le había dicho todo lo que necesitaba saber.

Capítulo Seis

Sam ya no odiaba la noche.

Durante mucho tiempo, las horas nocturnas habían sido una tortura para él. El silencio, la oscuridad y la sensación de estar solo en el mundo se le hacían insoportables. Tenía demasiado tiempo para pensar. Y, cuando por fin se dormía, llegaban las pesadillas que lo despertaban de golpe o, peor aún, los sueños que lo condenaban a un despertar más desolador, porque acababa de estar con su esposa y su hijo.

Pero Joy había cambiado eso.

De repente, la noche ya no era un espacio enemigo, sino algo que esperaba con ilusión. Estar con ella y oír su voz y su risa se había convertido en lo mejor de sus días. Disfrutaba con su inteligencia y su sentido del humor, aunque él fuera objeto habitual de sus sarcasmos. Le encantaba que le hablara de los vecinos de Franklin, aunque no conociera a ninguno. Hasta le gustaba verla con su hija, aunque le recordara al suyo y le hiciera daño.

Sam no esperaba sentirse así. Pero tampoco esperaba sentir nada especial cuando le estrechó la mano y, sin embargo, lo había sentido. La deseaba, y Joy lo deseaba a él. Lo había visto en sus ojos.

Lamentablemente, el deseo hizo que se sintiera culpable, como si estuviera traicionando a su difunta mujer y, por si eso fuera poco, también se sintió inseguro. No se podía arriesgar a encariñarse de ella y perderla después.

Por primera vez en mucho tiempo, clavó la vista en el fuego e hizo lo contrario de lo que siempre hacía. En lugar de enterrar sus recuerdos, los desenterró; o intentó desenterrarlos, porque parecían envueltos en una niebla que no le dejaba ver con claridad. No distinguía el tono exacto de los ojos marrones de su esposa. No estaba seguro de cómo sonreía cuando estaba contenta ni de cómo apretaba los dientes cuando se enfadaba.

Luego, a poco a poco, la brumosa cara de Dani se transformó en la cara de Joy y, con su cara, llegó el sonido de su risa y el aroma de su cuerpo. ¿Qué le estaba pasando? No quería esas sensaciones. No quería desearla.

Sam se dijo que lo mejor que podía hacer era levantarse y salir del salón antes de que llegara. Pero se quedó allí.

–He traído más pastas.

Al oír su voz, Sam sintió un calor intenso. Y supo que estaba perdido.

–¿Qué forma tienen? ¿También de Papá Noel?

Ella sonrió.

–No, estas tienen forma de muñecos de nieve y árboles de Navidad.

Sam sacudió la cabeza.

–No tienes remedio –dijo.

Joy dejó la bandeja en la mesita y se sentó a su lado,

en un sillón aparte. Luego, se llevó una pasta a la boca y bebió un poco de vino.

–El vino no se lleva bien con las pastas –afirmó Sam.

–Al contrario. Por separado, están geniales; y juntos, son una maravilla.

Sam se rindió a la tentación y alcanzó uno de los muñecos de nieve, que probó.

–Está muy bueno.

–Gracias –dijo ella, recostándose–. No ha sido tan difícil, ¿verdad?

–¿A qué te refieres?

–A hablar conmigo –respondió mientras cruzaba las piernas–. Llevo cinco días viniendo a verte al salón, y esta es la primera vez que no hablo sola.

Sam frunció el ceño y echó un trago de su copa para no sentirse en la obligación de decir nada. Ella tenía razón, desde luego; pero él no le había pedido que lo visitara todas las noches y se pusiera a hablar.

Al cabo de unos segundos, se dio cuenta de que Joy lo estaba castigando con su silencio y, como no podía soportarlo, dijo:

–No parece que te importara mucho.

–Bueno, confieso que me gusta hablar sola.

–No me digas –se burló.

–Pero es más divertido cuando los demás hablan.

Sam intentó no prestar atención al brillo de su cabello y sus ojos, que reflejaban la luz de las llamas; intentó no mirar aquellos labios que siempre estaban al borde de una sonrisa; intentó no admirar la forma de sus senos, claramente visible bajo su camisa azul;

intentó apartar la vista de sus largas piernas, embutidas en unos vaqueros y no deducir nada del rojo de las uñas de sus pies.

Y naturalmente, fracasó.

Ardía en deseos de levantarla del sillón, tomarla entre sus brazos y asaltar su boca. Era una necesidad apremiante, abrumadora. Pero volvió a tener la sensación de que estaba traicionando a Dani, y fue tan desagradable que la pastita que se estaba comiendo le supo a ceniza.

Asqueado, alcanzó su vino y bebió.

—No sé qué estás pensando, pero no parece nada bueno —dijo ella.

—Haz el favor de salir de mi cabeza —bramó él.

Sam bebió de nuevo, haciendo un esfuerzo por recordarse que desear a Joy no implicaba que tuviera que hacer algo al respecto. Era lo que era, un viudo, un hombre que había perdido a su hijo. Se había encerrado en sus recuerdos porque ya no quería saber nada del mundo, y estaba decidido a seguir así. Pero, ¿sería capaz? ¿Tendría la fuerza necesaria? Joy había empezado a destrozar su aislamiento con su presencia física y sus charlas nocturnas.

—Sí, reconozco que ya no me gusta hablar con la gente —declaró, retomando su conversación anterior.

—Eso es obvio.

—Kaye suele dejarme en paz cuando está en casa.

—Lógico, teniendo en cuenta que a ella tampoco le gusta hablar con la gente —dijo, sonriendo—. Sois tal para cual.

—¿Kaye y yo? Vaya, no se me habría ocurrido nunca.

Joy soltó una carcajada, y él pensó que el sonido de su risa era una tortura y un bálsamo a la vez. ¿Cómo era posible que se hubiera ganado su afecto en tan poco tiempo? Había asaltado sus defensas de un modo tan sutil que casi no se había dado cuenta. Y lo había conseguido en menos de una semana. Hasta había logrado que compartiera mesa con ellas y se interesara en los interminables discursos de Holly.

Si seguía así, terminaría olvidando que Holly no era hija suya.

–¿Se te ocurre dónde puedo encontrar un cachorro?

–No –respondió él–. No conozco a nadie de por aquí.

–¿Lo ves? Deberías salir más a menudo. Llevas cinco años en esta casa y no has hecho ninguna amistad.

–No vine a hacer amigos, Joy.

–Pero eso no significa que no los puedas hacer –replicó, girándose hacia el fuego–. Si tuvieras contactos, me podrías ayudar con el asunto del perro… No sé qué hacer, la verdad. Ya le he comprado casi todo lo que quería, pero lo del perro me preocupa.

Sam no quería pensar en los sueños lúdicos de la pequeña. Se parecían demasiado a los del hijo que había perdido, y le recordaban los esfuerzos de Dani y de él por hacerlo feliz.

–Bueno, puedes comprarle un perrito de peluche y dejarle una nota donde Papá Noel se comprometa a llevarle uno de verdad cuando encuentre uno.

Joy ladeó la cabeza y lo miró con una sonrisa en los labios.

–¿Una nota de Papá Noel?

–Sí, eso he dicho.

–¡Qué gran idea! Holly se quedará encantada cuando lea que está dispuesto a volver para traerle el perrito –declaró, asintiendo–. Podría incluir alguna especie de certificado con la firma de Papá Noel, para darle más importancia. Y hasta podríamos enmarcarlo y colgarlo en su dormitorio. Quién sabe, puede que se acabe convirtiendo en una de esas cosas que pasan de generación en generación, y que ella misma se lo regale a sus hijos.

Él se encogió de hombros, como si la felicidad de Holly le importara poco. Pero le importaba, y se preguntó qué pasaría cuando Joy y ella volvieran a su casa y se quedara solo otra vez. De repente, le parecía una perspectiva inadmisible.

–¿Por qué frunces el ceño? No me digas que he conseguido irritarte –dijo ella, sin dejar de sonreír.

–¿Cómo?

–Nada, olvídalo. ¿Qué has estado haciendo hoy?

–¿Te interesa de verdad?

–Por supuesto. Es la primera vez que te dignas a hablar conmigo durante nuestras citas nocturnas, y no la quiero desaprovechar.

–He empezado un nuevo proyecto.

–¿Otra mesa?

–No.

–¿Eso es todo lo que vas a decir? No es mucho, la verdad.

–Los hombres no somos charlatanes.

–¿Ah, no? Pues yo conozco a algunos que son incapaces de estar callados –ironizó–. Venga, dime lo que estás haciendo.

–Todavía no lo sé.

Ella tomó otro sorbito de vino.

–Tu forma de trabajar suena muy bien, ¿sabes? Pero yo funciono mejor con horarios fijos. Me gusta saber que las actualizaciones de las páginas web que llevo tienen que estar el lunes, y que las listas de correo deben estar el martes.

–Pues a mí no me gustan los horarios fijos.

–Lo sé. Precisamente lo he dicho porque, si aún no has empezado con ese proyecto, me podrías ayudar con el certificado de Papá Noel.

–¿Qué pretendes que haga?

–Dibujar algo bonito en los bordes del papel –respondió–. Eras pintor, ¿no?

Joy lo dijo en un tono de voz tan suave que casi se fundió con el crepitar del fuego. Pero Sam se quedó helado de todas formas.

–Lo era.

Ella asintió.

–He visto obras tuyas en la Red. Son preciosas.

Sam echó un trago largo, intentando deshacer el nudo que se le había hecho en la garganta. Joy había visto sus cuadros, y quizá había visto algo más. Por ejemplo, las notas de prensa sobre el accidente. Por ejemplo, los cadáveres de su esposa y de su hijo. Por ejemplo, las fotos del entierro, donde su dolor y su desesperación le habían llevado a pegar un puñetazo a un fotógrafo que no dejaba de incordiar.

–Ha pasado mucho tiempo desde entonces –alcanzó a decir.

–Casi seis años.

Él la miró con ira.

–Sí, soy consciente de ello. ¿A qué estás jugando, Joy? ¿Quieres sacarme información? No puedo decir nada que no sea ya de dominio público.

–No pretendo sonsacarte –se defendió Joy–. Solo estaba hablando contigo.

–Pues yo no tengo ganas de hablar.

–Qué sorpresa –dijo con sorna.

–¿Qué demonios quiere decir eso?

Sam la volvió a mirar a los ojos y, al ver su brillo de irritación, la maldijo para sus adentros. Desde su punto de vista, Joy no tenía derecho a enfadarse. No era él quien se estaba metiendo en la vida de ella, sino ella quien se estaba metiendo en la de él. Casi echó de menos a Kaye, quien nunca había tenido el mal gusto de interrogarlo al respecto.

–Que lo sabía. Sabía que no querrías hablar de lo que pasó.

–Pero has sacado el asunto de todas formas –dijo en tono acusatorio–. ¿Por qué, Joy? ¿Te ha ofrecido dinero algún periodista? ¿Todavía no se han cansado de escribir artículos sobre mí? ¿O es que quieres escribir un libro con lo que me saques?

Joy se puso furiosa.

–¿Cómo te atreves a decir eso? ¿Me crees capaz de hacerte algo así? Yo no traicionaría nunca a un amigo.

–Oh, vaya, ¿ahora somos amigos?

–Lo podríamos ser si no vieras enemigos por todas partes.

–¿Cuántas veces quieres que te diga? No vine aquí a hacer amistades –bramó, perdiendo la paciencia.

Joy respiró hondo, intentando tranquilizarse.

–Descuida, lo has dejado bastante claro. Pero no busques problemas donde no los hay. He dicho eso porque sé lo que hacías, y es ridículo que finja lo contrario.

Él se llevó una mano al pecho.

–No tienes que fingir nada. Solo tienes que olvidar el asunto.

–¿Y de qué serviría eso? Lo siento, Sam, pero…

–No hay peros que valgan –la interrumpió–. Y, por Dios, no me digas que lo sientes. He recibido más condolencias de las que podía aguantar. Ahórrame las tuyas, por favor.

Sam se pasó una mano por el pelo, desesperado.

Estaba en la casa que, durante mucho tiempo, había sido su refugio. Se había marchado allí huyendo del acoso de la prensa y del bombardeo emocional que sufría por parte de su familia, cuya compasión le ahogaba. Se había ido a las montañas para dejar de ser el hombre que había sido, un hombre tan deseoso de crear belleza que no se acordó de la belleza de su propia vida hasta que se la arrebataron.

–Lo comprendo, Sam. Pero lo siento de todas formas –dijo ella.

Joy le puso una mano en el brazo, y él sintió un calor tan erótico que lo apartó inmediatamente. Llevaba demasiados años sin sentir nada parecido.

–Pretendas lo que pretendas, deberías saber que no quiero más relaciones amorosas. No quiero más mujeres, no quiero más hijos, no quiero más pérdidas.

Ella lo miró con una mezcla de afecto e irritación.

–Todo el mundo pierde, Sam. Su casa, su empleo,

sus seres queridos… Pero no te puedes aislar con la esperanza de dejar de sufrir, porque no funciona. Además, la forma de reaccionar a las pérdidas define el tipo de persona que eres.

Sam pensó que no tenía ni idea de lo que estaba diciendo. No la podía tener, porque no había pasado por lo mismo.

–¿Y qué pasa? ¿Que no te gusta mi forma de reaccionar? ¿Es eso? Porque, si lo es, no eres la primera persona que lo dice.

–El dolor no va a desaparecer porque te escondas –insistió ella.

Sam respiró hondo. La oscuridad del exterior parecía estar más cerca que antes, como si se hubiera filtrado por alguna rendija y se estuviera cerrando sobre la luz del fuego, que daba la impresión de retroceder.

–No sabes lo que dices, Joy.

Ella ladeó la cabeza, y unos mechones rubios le cayeron por la mejilla.

–¿Crees que eres el único que ha sufrido?

Sam sacudió la cabeza. No había insinuado tal cosa, pero su tragedia le dolía tanto que no le importaban las de los demás.

–Olvídalo ya. Estoy cansado.

–Oh, no, no te vas a escapar tan fácilmente. ¿Crees que no me puedo poner en tu lugar? –dijo, clavando en él sus ojos azules–. Mis padres murieron cuando yo tenía ocho años. Crecí en casas de acogida, porque nadie me quería adoptar. No eran tan linda como esperaban. O les parecía demasiado mayor.

–Maldita sea, Joy…

Esta vez fue ella quien lo interrumpió.

–Nunca fui del todo real para ninguna de las familias que me permitían vivir en su casa. Siempre era la de fuera, la ajena, la que no encajaba. Y tampoco tenía amigos, así que hice un esfuerzo y salí a buscarlos.

–Me alegro por ti.

–No he terminado de hablar. Tuve que luchar por todo lo que tengo, por todo lo que soy. Quería formar parte de algo. Quería una familia, ¿sabes?

Sam abrió la boca, pero ella alzó una mano para que la dejara seguir. Y fue una suerte que él no se atreviera a desafiarla, porque se habría arrepentido.

–Conocí al padre de Holly cuando estaba diseñando su página web. Era un hombre maravilloso, y me quería mucho. Pensé que estaríamos juntos para siempre, pero nuestra relación se rompió cuando le dije que me había quedado embarazada.

–Eso no es ninguna tragedia, Joy –le recordó Sam–. Lo habría sido si él hubiera fallecido de repente o si te hubiera arrebatado a Holly y se la hubiera llevado para que no la volvieras a ver. No se parece nada a lo que me pasó.

–No, pero…

–No sabes de lo que hablas –insistió él, harto–. No lo puedes saber. Y no voy a permitir que me juzgues como si lo supieras y me obligues a dar explicaciones sobre mi propia vida.

–¿Y qué piensas hacer? ¿Seguir escondido hasta que te mueras?

Sam se enrabietó.

–¿Y a ti qué te importa lo que yo haga?

–Me importa mucho. Te he visto con Holly –dijo, inclinándose hacia él–. He visto tu dulzura, y el efecto que causa en ella. Mi hija necesita un hombre en su vida.

–Oh, basta ya. Yo no tengo madera de padre.

–¿Ah, no? Sabes que eso no es verdad. Pero, si prefieres seguir solo y fingir que vives en una isla desierta, adelante.

–Soy feliz así.

–Mentiroso.

–No me conoces, Joy.

–Eso te gustaría creer. Eres más transparente de lo que piensas.

Él sacudió la cabeza.

–Estás aquí para cuidar de la casa, no para psicoanalizarme.

–Pero puedo hacer muchas cosas al mismo tiempo, ¿recuerdas? Soy multitarea –dijo con una sonrisa.

A Sam le molestó profundamente que sonriera, porque ese detalle le recordó el problema de fondo, el verdadero problema: que la deseaba. Incluso era posible que la deseara porque era capaz de sonreír hasta en mitad de una discusión. Y, para empeorar las cosas, Joy tenía parte de razón en lo que estaba diciendo. Se podía aislar, sí, pero sus secretos estaban al alcance de cualquier persona con una conexión a Internet.

–Esto no una sesión con el psicólogo –continuó ella, mirándolo con frialdad–. Solo es una conversación.

–Sobre mi vida –le recordó.

–Lo sé, y…

–No vuelvas a decir que lo sientes.

84

–¿Cómo no voy a decirlo, si lo siento de verdad?

–Maldita sea –dijo él, suspirando.

Sam deseó huir. De repente, tenía la sensación de que estaban demasiado cerca. Notaba el aroma de su champú y un olor a flores que no pudo identificar. ¿Jazmín, quizá? ¿Lilas? Fuera lo que fuera, la deseaba más que nunca.

–Sin embargo, eso no es lo único que siento –declaró ella–. También estoy enfadada.

–Y yo.

–Me alegro, porque el enfado es una emoción, lo cual demuestra que no has dejado de sentir –replicó, sorprendiéndolo por completo–. Y está bien que concentres tu amor en el trabajo con la madera, porque eres muy bueno.

Él asintió y lanzó una mirada a la puerta, que estaba abierta. Pero le pareció tan remota como las posibilidades que tenía de fugarse.

–Sin embargo, deberías volver a pintar –prosiguió Joy–. Los mundos que creabas eran mágicos, sublimes.

Sam se dijo que su antigua magia había desaparecido, y que era mejor así. Sin embargo, tuvo que reconocer que nadie le había hablado nunca de esa manera, obligándolo a recordar, a afrontar sus fantasmas y a afrontarse a sí mismo. En parte, se había alejado de sus padres y su hermana porque eran excesivamente cuidadosos y hablaban como si estuvieran en una cuerda floja, siempre con miedo de decir o hacer algo inadecuado.

Por buenas que fueran sus intenciones, su actitud hacía que se sintiera culpable y, al final, decidió marcharse a un sitio donde pudiera estar tranquilo, sin tener que soportar la condescendencia y la compasión de los demás. ¿Quién iba a imaginar que se las vería con Joy, un enemigo mucho más temible?

–¿Por qué dejaste la pintura? –siguió ella.

–No quiero hablar de ese asunto. Es demasiado personal.

Sam se levantó, se alejó de Joy y, acto seguido, volvió sobre sus pasos y le lanzó una mirada cargada de rabia que, por lo demás, no tuvo ningún efecto en ella. No era de las que se asustaban con facilidad. Creía en sí misma todo el tiempo, aunque no tuviera razón. Y Sam lo encontraba admirable.

–Ya te lo he dicho, pero te lo repetiré. No me das miedo, Sam –dijo, como leyéndole el pensamiento.

–Pues es una lástima –masculló.

Sam le volvió a dar la espalda, acordándose de que su madre le había advertido sobre los peligros de convertirse en un gruñón que mascullara constantemente. Pero Joy se incorporó y lo agarró del brazo.

–Basta. Habla conmigo –le instó.

Él miró su mano, intentando no sentir lo que sentía. Era como si todas las células de su cuerpo se hubieran despertado al mismo tiempo.

–¿Cómo quieres que te diga que no quiero hablar de eso?

–Pues no hables de eso. Quédate conmigo, háblame de cualquier otra cosa –dijo, respirando hondo–. A decir verdad, no tenía intención de sacar ese tema.

–Entonces, ¿por qué lo has hecho?

Ella apartó la mano, y él lo lamentó al instante.

–Porque no me gusta mentir.

–¿Mentir? –preguntó, frunciendo el ceño–. No te sigo.

Joy cruzó los brazos por debajo de los senos y, al alzarlos inconscientemente, Sam no tuvo más remedio que admirar sus deliciosas curvas.

Desesperado, sacudió la cabeza e intentó concentrarse en lo que decía.

–Yo no sabía lo que te había pasado. Lo he descubierto hoy, y me ha parecido que no decir nada era equivalente a mentir.

Sam pensó que era un argumento bastante retorcido, aunque no exento de validez. A él también le disgustaban las mentiras, excepción hecha de las que decía a su madre para que no se preocupara demasiado. Sin embargo, habría preferido que Joy fingiera no haber descubierto nada y lo dejara en paz.

–Bueno, está bien. Ya has limpiado tu conciencia. Y ahora, ¿podemos pasar a otra cosa?

Sam intentó alejarse de nuevo, y ella lo agarró una vez más. Pero, en esta ocasión, él se giró y la tomó entre sus brazos, dejándola boquiabierta. La sensación de estar pegada a su cuerpo era abrumadoramente animal, pura, instintiva.

Un segundo después, él pasó los dedos por su rubio cabello, le inclinó la cabeza y la besó con toda la frustración, toda la rabia y todo el deseo que había acumulado.

La perplejidad de Joy dio paso a una necesidad tan intensa que llevó las manos a su cintura y lo apretó un poco más, lo cual avivó la pasión de Sam. Estaba fuera de sí. La besaba como si no nada fuera suficiente, como si su hambre exigiera más, mucho más. Había estado pensando en ella desde que llegó, esperando ese momento. Pero jamás habría imaginado que perdería hasta el sentido de la realidad.

Quería quitarle la ropa. Quería cerrar las manos sobre sus senos y succionarle los pezones mientras escuchaba sus gemidos de placer. Quería mirar sus azules ojos y verlos ardiendo de excitación. Quería sentir sus manos en la piel, aferrada a su cuerpo como si la vida le fuera en ello. Y se aferraba. Le hacía saber sin la menor sombra de duda que ella sentía lo mismo, que también estaba atrapada en sus propias necesidades y deseos.

Sin dejar de besarla, la llevó al sofá más cercano y se tumbó a su lado, con su corazón latiendo tan deprisa que tenía la sensación de que le iba a estallar. Ella se arqueó contra su cuerpo y retrocedió lo justo para permitir que la acariciara de arriba a abajo. Pero seguía sin ser suficiente. Sam necesitaba sentir su piel, su calor; así que le desabrochó los vaqueros, bajó la cremallera y le metió una mano.

Al sentirlo bajo sus braguitas, ella volvió a gemir. Y, cuando la acarició entre las piernas, se agarró a sus hombros con todas sus fuerzas.

A Sam le encantó el contacto de su sexo: suave, húmedo, caliente, una tentación que lo empujó a acariciarla una y otra vez, a introducir los dedos y volver a sacarlos, a frotarla, a tocarla apenas y a jugar con todos los matices de la intensidad hasta llevarla al borde de la locura.

–Oh, Sam… –dijo con voz ronca.

Sam se preguntó cuándo había empezado a ser tan importante para él, qué había pasado para que el deseo de tocarla se volviera apremiante. No encontró respuesta alguna, pero eso no impidió que asaltara de nuevo su boca mientras ella se retorcía contra sus dedos, urgiéndolo a acelerar el ritmo, ansiosa por llegar al orgasmo.

Cuando por fin llegó, Sam se sintió increíblemente satisfecho. Todo lo que Joy sentía se reflejaba en sus ojos, en sus rasgos, hasta en la textura de su piel. Fue tan sorprendente que no apartó la vista de ella. Joy Curran era una revelación, y lo era en tantos y tan distintos sentidos que tuvo la seguridad de que nunca podría conocerla por completo.

Pero no necesitaba conocerla por completo para saber lo que tenía que hacer entonces: abrazarla durante todo el camino, seguir pegado a ella mientras la ola del clímax ascendía y rompía finalmente en la playa.

Joy se quedó sin aliento, y él, más excitado que antes.

Ardía en deseos de tomarla. Tenía que tomarla.

–Sam, necesito…

Sam supo exactamente lo que necesitaba, porque era lo mismo que necesitaba él.

Sin perder el tiempo, sacó la mano de sus pantalones con intención de desnudarla y quitarse la ropa. En ese instante, habría jurado que nunca había sentido nada parecido, nada tan arrebatador. Como si la necesidad de dar placer a una mujer y formar parte de ella fuera lo más importante del mundo.

Habría jurado que no se había sentido así ni con la propia Dani.

Desgraciadamente, el recuerdo de su difunta esposa tuvo el efecto de un jarro de agua fría. ¿Qué demonios estaba haciendo?

Sam se apartó de ella y la miró como si fuera un ciego que había recuperado la vista de repente. Intentó recuperar el equilibrio, pero no pudo. Su propia mente le estaba gritando que era un canalla por excitarse más con Joy que con Dani. Le estaba exigiendo que lo negara, aunque fuera mentira. Le estaba pidiendo que enterrara esas emociones y volviera a ser el hombre que no sentía nada. Era más seguro.

–No puedo –dijo, sacudiendo la cabeza–. No puedo.

Sam se levantó del sofá y se alejó unos pasos.

–Claro que puedes –replicó ella, algo confundida–. Lo estabas haciendo muy bien.

Él la miró. Se había tumbado bocabajo, con el pelo revuelto y los codos apoyados en los cojines. Era la viva imagen de la tentación.

–No, no es posible –insistió, entrecerrando los ojos–. No puedo pasar otra vez por eso.

–Será mejor que hablemos, Sam.

Él soltó una carcajada sin humor.

–Hablar no solucionaría nada –afirmó–. Me voy al taller.

Sam se dirigió a la salida, y ella lo miró con desconcierto. Aún sentía el eco de sus besos en los labios. Su corazón seguía desbocado. Y habría salido tras él si no hubiera tenido miedo de que sus temblorosas piernas la traicionaran.

¿Qué diablos acababa de pasar?

¿Y qué podía hacer para que pasara de nuevo?

Capítulo Siete

Joy no volvió a ver a Sam hasta la mañana siguiente, y quizá fue lo mejor.

Estuvo despierta casi toda la noche, reviviendo la escena del salón; pero no podría haber negado que dedicó mucho más tiempo a evocar los besos y las caricias que a la discusión que habían tenido. Mientras el viento soplaba en el exterior, azotando los árboles y los cristales de las ventanas, ella se dedicaba a pensar en su cuerpo, en el placer que había sentido y en la energía desatada que aún recorría sus venas.

Sin embargo, se sentía culpable por haberlo forzado a hablar de su vida. ¿Cómo se le había ocurrido decir que sabía lo de su mujer y su hijo? No venía a cuento de nada. ¿En qué estaría pensando?

Tras sopesarlo unos momentos, llegó a la conclusión de que el problema consistía precisamente en que no estaba pensando. Había mirado sus preciosos ojos, lo había provocado, había conseguido que se cerrara a ella y, a continuación, se había enfadado con él y le había plantado cara sin darse cuenta de que esa actitud podía dañar su débil relación.

A pesar de ello, Joy intentó convencerse de que había abierto la puerta de su pasado, y de que ya no la podría cerrar. Ahora, tendría que afrontar el hecho de que había renunciado a su talento artístico y a la propia vida, negándose cualquier tipo de felicidad. ¿Y para qué? Su sufrimiento no cambiaba nada. No le podía devolver a su familia.

–¿Ya has terminado, mamá?

La voz de Holly, que estaba haciendo sus deberes en la mesa, la sacó de sus pensamientos. El mundo que se veía por la ventana de la cocina era de cielos grises y árboles inclinados por el vendaval. Pero no había nevado casi nada, y Joy empezaba a pensar que no tendrían unas Navidades blancas.

–Aún no, cariño. Pero me falta poco.

Joy miró a su hija y se volvió a concentrar en la página web de uno de sus clientes, un escritor de novelas. Por algún motivo, algunos de sus lectores tenían la extraña costumbre de dejarle comentarios poco respetuosos, aunque sus libros les gustaran. Y ella, que también ejercía de moderadora, se dedicaba a leerlos y a eliminar los que sobrepasaban el terreno de la crítica y caían en el insulto.

Pero aquella mañana no estaba siendo productiva. Su mente se empeñaba en volver a la noche anterior, así que iba con bastante retraso. No dejaba de pensar en los ojos, los labios, las manos y el cuerpo de Sam.

–Oh, mamá, ¿cuándo nos podemos ir? –protestó la pequeña.

–Cuando haya terminado –respondió su madre, armándose de paciencia.

Joy hizo un esfuerzo por sacarse a Sam de la cabeza, terminó de limpiar la sección de comentarios de la página y, tras enviar una felicitación navideña a los lectores del escritor, salió del sitio web y entró en otro, donde tuvo que hacer lo mismo.

–¿Cuánto tiempo te falta? –insistió Holly, al borde de la desesperación–. Si no nos vamos pronto, no encontraremos ningún árbol de Navidad.

Joy sonrió y le pegó un tironcito de una de sus coletas.

–Te prometo que habrá árboles de sobra. Pero te recuerdo que este año vamos a comprar uno pequeño –dijo, sin mencionar que no quería ofender excesivamente a Sam.

–Lo sé. Es porque a Sam no le gustan las Navidades –replicó la niña, sorprendiéndola–. ¿Cómo es posible? A todo el mundo le gustan los regalos.

–Los regalos, sí –puntualizó Joy, que no quería dar demasiadas explicaciones–. Pero, si quieres saber por qué le disgustan, deberías preguntárselo a él.

–¡Se lo preguntaré ahora mismo!

Holly se levantó de la silla y salió corriendo antes de que su madre lo pudiera impedir.

–¡Vuelve aquí, Holly!

Joy estuvo a punto de ponerse la chaqueta y salir a buscarla, pero cambió de opinión. Sam siempre era cariñoso y amable con Holly. Obviamente, no tenía ningún problema en enfadarse con ella, pero no se enfadaría con su hija. Y hasta cabía la posibilidad de que su inocencia y su buen humor marcaran la diferencia en algún sentido.

Holly regresó al cabo de un par de minutos, con sus zapatillas de color rosa y su parka, que Joy le cerró. Mientras se la abrochaba, se acordó de la discusión de la noche anterior y se preguntó cómo se sentiría si la perdiera. No lo podía ni imaginar. Era la luz de su vida, el centro de su existencia.

Sam tenía razón. No tenía derecho a criticarlo. ¿Cómo lo iba a tener, si nunca había sufrido una tragedia como la suya?

–¡Me estás haciendo daño, mamá!

–Oh, lo siento –dijo ella, cayendo en la cuenta de que la estaba abrazando con verdadera ansiedad–. Anda, ve a jugar con Sam. Te iré a buscar cuando termine, en cuanto acabe con las actualizaciones de esta página web.

–¡Vale!

–Pero no te vayas por ahí –le advirtió–. Ve directamente al taller.

–¿No puedo mirar la casita que hice con Sam? Puede que ya tenga hadas.

Joy suspiró. No se podía decir que hubieran colgado la casita en el bosque, pero estaba lo suficientemente lejos como para que una niña tan curiosa como Holly sintiera la tentación de explorar y se perdiera.

–No, ya la veremos después.

–Bueno…

La niña se fue como una exhalación, y Joy se acercó a la ventana para asegurarse de que cumplía su palabra y se dirigía al taller, cosa que hizo. Luego, sacudió la cabeza y sonrió. Habría dado cualquier cosa por estar presente cuando Sam la viera.

***

–¡Hola, Sam! Mamá ha dicho que puedo jugar contigo.

La aparición de Holly no le pilló de sorpresa. Afortunadamente, Sam la había visto mientras cruzaba el jardín y había tenido tiempo de tapar su nuevo proyecto, que ni siquiera sabía por qué estaba haciendo. Se le había ocurrido antes de discutir con Joy y, tras lo sucedido la noche anterior, se había puesto con él en cuerpo y alma.

El sentimiento de culpa la había alejado de ella y lo había mantenido despierto casi toda la noche. Los recuerdos se acumulaban en su mente; pero, por encima de ellos, sobrevolaban los besos y los gemidos de Joy, que se había entregado al amor con una pasión que no le andaba a la zaga.

–No tengo tiempo para jugar –dijo, sacudiendo la cabeza.

Sam se giró hacia el banco de trabajo y fingió que hacía algo.

–Te puedo ayudar, como hicimos con la casita. Quería ver si ya tiene hadas, pero mamá no quiere que vaya sola. ¿Me acompañas? También puedes estar ocupado fuera, ¿no? –dijo, girándose precisamente hacia el objeto que Sam acababa de tapar–. ¿Qué es esto?

Él se estremeció.

–Nada –contestó con brusquedad.

En lugar de asustarse, la niña le dedicó una sonrisa maravillosa. Por lo visto, había salido a su madre. Cuando no tenía argumentos, aprovechaba su encanto.

–¿Es un secreto?

–Bueno…

–A mí me gustan los secretos. ¿Quieres que te cuente uno? La mamá de Lizzie va a tener otro bebé. Cree que Lizzie no lo sabe, pero la oyó cuando se lo dijo a su padre, después de hacerse unas pruebas.

Sam se maldijo para sus adentros. Primero, le soltaba discursos sobre Lizzie y su perrito y ahora, sobre las pruebas médicas de su madre.

–Yo quiero tener una hermana –prosiguió la pequeña, encaramándose al taburete–. Pero mamá dice que un cachorro es mejor, porque los bebés lloran mucho y los perros…

–¿No querías ver la casa de hadas? –la interrumpió él, incapaz de soportar otra perorata.

–¡Claro que sí!

La niña se bajó del taburete y lo tomó de la mano. Sam había pensado que salir a ver la casita era bastante menos peligroso que quedarse allí y exponerse a que Holly se volviera a interesar por lo que estaba haciendo; pero, al sentir el contacto de sus pequeños dedos, se acordó del hijo que había perdido, Eli.

¿Cómo habría sido a la edad de Holly? Evidentemente, no lo podía saber. Había muerto con solo tres años de edad, y siempre tendría tres años en su memoria.

–¡Vamos, Sam! –dijo ella, tirándole de la mano.

Sam suspiró, dejó que lo sacara del taller y se resignó a escuchar sus historias de perritos, hadas y princesas, pensando que era un castigo de los dioses. Se estaba encariñando de una niña que ni siquiera era suya, y que se marcharía de allí en pocas semanas.

Sin embargo, Sam no era ningún estúpido. Sabía

que la presencia de la niña formaba parte de las maquinaciones de su madre, empeñada en sacarlo de su encierro y devolverlo a lo que ella consideraba la tierra de los vivos. Estaba tan decidida a conseguirlo que hasta manipulaba a su propia hija.

–¡Aquí está! –exclamó Holly momentos después.

La niña se agachó, inspeccionó cada una de las pequeñas ventanas y abrió la diminuta puerta para ver si había alguien dentro. Sam cruzó los dedos para que creyera ver algo, porque no quería que se llevara una decepción.

–No veo nada –dijo, girándose hacia él.

–Se habrán ido de pícnic –replicó, sorprendiéndose a sí mismo–. O de compras.

–Ah, como mamá y yo –afirmó, recuperando su alegría habitual–. ¿Sabes lo que vamos a hacer? ¡Vamos a comprar un árbol de Navidad!

A Sam se le encogió el corazón, pero no dijo nada.

–Pero compraremos uno pequeño, porque sabemos que no te gustan las Navidades –continuó Holly–. ¿Por qué no te gustan?

–Es… complicado, Holly –acertó a responder.

–¿Por qué? –repitió.

–Porque tengo muchas razones distintas.

Holly frunció el ceño, se quedó pensativa durante unos segundos y, a continuación, se encogió de hombros y dijo:

–Bueno. ¿Las hadas también compran árboles de Navidad? ¿Pondrán uno en la casita? ¿Podré verlo?

–Es posible –contestó él, aliviado–. Pero tienes que esforzarte por verlo.

–¡Pues me esforzaré! –aseguró la pequeña.

En ese momento, una ráfaga de viento particularmente intensa sacudió a la niña, que se tambaleó. Pero Sam impidió que perdiera el equilibrio.

–¿Deberías volver con tu madre?

–Oh, no. Todavía no, por favor –le rogó.

–Está bien…

Holly se alejó unos pasos, se quedó mirando la alfombra de agujas de pino que cubría el suelo y preguntó:

–¿Podríamos hacer otra casita y ponerla aquí, junto a ese árbol tan grande? Es como un árbol de Navidad, ¿no? Puede que las hadas lo decoren.

Sam se empezó a derrumbar por dentro. Nunca había tenido intención de encariñarse ni con ella ni con su madre; pero la dulzura de Holly y la pasión de Joy estaban ganando la partida de tal manera que ahora se dedicaba a hacer casitas, trabajar en proyectos secretos y buscar hadas en el bosque.

–Claro que podemos. Dentro de uno o dos días.

–¡Trato hecho! Haremos otra mañana y la pondremos donde te he dicho. ¿Podemos poner mantitas, para que las hadas estén calientes?

Sam sacudió la cabeza. Holly también se parecía a su madre en ese sentido: oía lo que quería oír y desestimaba todo lo demás.

Cansado, se giró hacia la casa y vio que Joy los estaba observando desde la ventana de la cocina. No le extrañó nada, pero sus miradas se encontraron y, de repente, ya no podía pensar en otra cosa que no fuera ella. Extrañaba el sabor de sus labios y el contacto de su piel. Ardía en deseos de hacerle el amor otra vez, y el sentimiento de anticipación era tan intenso que ni él mismo habría podido negar lo que sentía.

Hasta su sentimiento de culpabilidad palidecía ante ello.

Justo entonces, Joy alzó una mano y la pegó al cristal de la ventana, como si quisiera tocarle a él. Sam tragó saliva, consciente de que se habían metido en un lío del que no podrían salir con facilidad. Se deseaban demasiado. Se gustaban demasiado.

Joy detuvo el coche delante de su casa, con Holly en el asiento contiguo y un árbol de Navidad en el trasero, junto a varias bolsas de comida. No tenía más remedio que pasar por allí, porque se había dejado los adornos navideños en un armario.

–Nuestra casa es muy pequeña, ¿verdad? –dijo la niña.

Ella asintió. Obviamente, cualquier casa parecía pequeña después de pasar unos días en la de Sam.

–Sí, pero es nuestra.

Joy bajó a la niña de la camioneta, pensando que nunca se había dado cuenta de que su calle tenía pocos árboles. Eso también era consecuencia de vivir en la mansión de Sam, que estaba rodeada de bosques, aunque el paisaje de su propiedad no le interesaba tanto como él, ni mucho menos.

Sin ser consciente, se puso a pensar en la mirada que se habían cruzado por la mañana, cuando Sam estaba con la niña. Se encontraban a muchos metros de distancia, pero eso no había impedido que la sangre le ardiera en las venas. Incluso entonces, a punto de hacer algo tan prosaico como recoger un montón de guirnaldas, su corazón latía con desenfreno.

Sam y ella estaban lejos de haber terminado su aventura amorosa. Volverían a caer en la tentación, aunque no supiera cuándo ni cómo. Y lo estaba deseando.

—Ven conmigo, Holly.

—¿Puedo tener una hermanita?

La súbita pregunta de la niña la dejó tan helada que se detuvo en el umbral.

—¿Cómo?

—Que si puedo tener una hermanita.

—¿A qué viene eso?

—A que Lizzie va a tener una. Es un secreto, pero me da envidia.

Joy no salía de su asombro. ¿Deb estaba embarazada? ¿Cómo era posible que no se lo hubiera dicho? Fuera como fuera, no era un asunto particularmente urgente. Ya interrogaría a su amiga cuando tuviera ocasión. De momento, solo quería recoger los adornos e interesarse por la obra de la casa, porque había visto que la furgoneta de Buddy, el contratista encargado de la reforma, estaba en el vado.

—¿Buddy? —dijo al abrir la puerta.

—Estoy aquí —respondió él desde la cocina.

Mientras caminaba, se puso a comparar la sobriedad de su casa alquilada con el esplendor del domicilio de Sam. Su pasillo era ridículamente pequeño; su salón, tan diminuto que, si se juntaban cuatro personas, casi no cabían; su cocina, poco más grande que una de las encimeras de Sam y, para empeorar las cosas, sus armarios estaban tan viejos que solo se podía hacer una cosa con ellos: quitarlos y poner otros.

Pero el argumento que le había dado a Holly seguía siendo válido. Estaban en su casa, por muchos defectos que tuviera.

–¿Cómo va la cosa, Buddy?

–Bien –respondió el alto y fuerte contratista, cuyos ojos azules brillaron con humor–. Acabo de enviar a mi hijo a la ferretería. He pensado que, ya que estoy aquí, podía cambiar las bisagras de algunos de los armarios. Tienen tan mal aspecto que me estremezco cuando las miro.

Joy sonrió.

–Gracias, Buddy. Es todo un detalle.

–De nada.

Él se remangó la camisa, dio un paso atrás y contempló el hueco que había donde antes estaba el interruptor de la luz.

–Hemos cambiado el cableado eléctrico del salón, pero estoy comprobando el resto de las habitaciones –le informó–. La instalación de la cocina está muy mal, y el dormitorio pequeño era una invitación al desastre.

Joy se estremeció, porque el dormitorio pequeño era el de Holly. ¿Qué habría pasado si se hubiera producido un cortocircuito en mitad de la noche? Su hija habría podido morir sin que ella se diera cuenta.

–No te preocupes –continuó Buddy, adivinando sus pensamientos–. Afortunadamente, no ha ocurrido nada. Y, cuando termine el trabajo, tu casa será un lugar seguro.

–¿Ahora no lo es? –se interesó la pequeña.

Buddy le guiñó un ojo.

–No, pero lo será.

–No sabes cuánto de lo agradezco –dijo Joy.

A pesar de la afirmación de Buddy, Joy pensó que había llegado el momento de mudarse a una casa más moderna. Pero eso tampoco era un problema urgente.

–Comprendo que tienes prisa por volver, y te aseguro que vamos tan deprisa como podemos –declaró Buddy, mirándola con intensidad–. De hecho, es posible que terminemos antes de Navidad.

Joy no se alegró demasiado con la noticia, porque volver a casa implicaba alejarse de Sam y de lo que empezaba a sentir. Se dijo que quizá fuera lo mejor, pero ni ella misma lo creyó. Le gustaba vivir con él.

–Bueno, no te molestaremos más. Solo hemos venido a recoger los adornos navideños –dijo ella, cambiando de tema.

Buddy se pasó una mano por la cabeza, completamente afeitada.

–¿Cómo te va en la montaña? ¿Os lleváis bien?

–Sí –respondió ella, consciente de que todo el pueblo sentía curiosidad por Sam–. Es un hombre encantador. Incluso ayudó a Holly a construir una casita.

–¿En serio?

–Sí, es para las hadas –explicó la niña–, pero voy a meter algunas de mis muñecas para que les hagan compañía. Y Sam ha dicho que me va a ayudar a hacer otra… Es muy simpático, aunque también puede ser muy gruñón.

–Ah, los niños siempre dicen más de lo que deben

102

–declaró Joy, sonriendo–. En fin, nos vamos ya. Tengo que decorar un árbol y preparar unos dulces.

Buddy asintió.

–Hasta pronto entonces. Pero, cuando hables con Sam Henry, coméntale que Cora se quedó encantada con la mecedora que hizo –dijo, refiriéndose a su esposa–. La compró en Crafty, y casi no se levanta de ella.

Joy volvió a sonreír.

–Se lo diré.

Joy recogió los adornos navideños y, a continuación, volvieron al coche. Estaba ansiosa por reunirse con el gruñón que tanto le gustaba. Pero antes, pasaría por el local de Deb y hablaría con ella. No se le había olvidado que estaba esperando un niño.

–¿Por qué no me habías dicho que estabas embarazada?

Deb miró a su amiga con asombro.

–¿Cómo lo has sabido?

–Lizzie se lo dijo a Holly y Holly me lo ha contado a mí.

–¿Lizzie? –Deb suspiró y sacudió la cabeza–. Está visto que los niños se dan cuenta de todo, ¿eh? Y yo que quería mantenerlo en secreto…

–¿Por qué? –preguntó Joy, llevándose un pastelito a la boca.

Deb miró a los clientes del restaurante y bajó la voz. Estaban en la cocina del establecimiento, pero lo único que las separaba de ellos era la puerta batiente, y no quería que escucharan lo que iba a decir.

–Sabes que perdí un bebé hace dos años, ¿no?

Joy asintió y le dio una palmadita en el brazo.

–Sí, lo sé.

–No quería alimentar expectativas hasta estar segura de que el embarazo va bien. Pero ya no tiene sentido, porque Lizzie se lo habría contado a todo el mundo.

–Bueno, me alegro mucho por ti.

–Gracias. Yo también me alegro.

–Aunque, pensándolo bien, no debería estar tan contenta –añadió Joy–. Holly siente envidia de Lizzie, y ahora se ha empeñado en tener una hermanita.

Deb la miró con humor.

–Pues dale una.

–Sí, claro, como si no tuviera ya bastantes problemas.

–Estoy segura de que saldrías adelante –dijo Deb–. Aunque, a decir verdad, no estaba pensando tanto en un embarazo como en el proceso anterior. No me vas a negar que nuestro ermitaño es un hombre extremadamente atractivo.

–No tanto –replicó Joy, tensa.

A pesar de lo que acababa de decir, se acordó de la noche anterior y de la ansiedad que había sentido a lo largo del día. No tenía que hacer grandes esfuerzos para imaginarse viviendo con Sam en su maravillosa mansión, con dos niñas corriendo por las habitaciones y todas las risas y la felicidad de un hogar de verdad.

Lamentablemente, las fantasías no se llevaban bien con la realidad, como la propia Joy había aprendido. Los sueños tenían tendencia a estallar. Y, por otra parte, Sam había dejado bastante claro que no quería una relación seria.

Pero, por muy consciente que fuera de las dificultades, no se pudo resistir a la tentación de imaginarlo. Además, Sam era muy bueno con Holly. La trataba bien y le prestaba la atención necesaria, algo que su pequeña necesitaría con urgencia cuando dejara de ser una niña y se convirtiera en una jovencita.

–Ya. Dices que no te gusta, pero tus ojos afirman lo contrario –replicó Deb.

Joy suspiró. Aunque su amiga estuviera en lo cierto, no se podía arriesgar a enamorarse de él. No quería que le volvieran a partir el corazón. Con la suerte que tenía, sacaría a Sam de su ensimismamiento y la dejaría por otra.

–Deb, el amor es muy divertido. Lo malo es lo que viene después.

–¿Cuándo te has convertido en una cobarde?

–No soy una cobarde, pero…

–Estás sola y él está solo –la interrumpió–. Sois la pareja perfecta.

–Estar sola no es una buena razón para estar con nadie –replicó Joy, alcanzando otro pastelito–. ¿Cómo has conseguido que dejemos de hablar de ti y nos pongamos a hablar de mí? Y sobre todo, ¿por qué estamos hablando de eso?

–Porque odio que mi mejor amiga esté completamente sola.

–No estoy sola. Tengo a Holly.

–Sí, pero no es lo mismo. Lo sabes de sobra.

Joy se apoyó en la encimera y pegó un bocado al pastel.

–No, supongo que no es lo mismo –admitió.

–¿Y entonces?

–Bueno, reconozco que Sam me intriga.

–Está bien que te intrigue. Pero el sexo es más interesante que la curiosidad.

–No te sabría decir.

–Oh, vamos, no digas tonterías.

Joy se giró hacia la ventana y miró la casa que estaba al otro lado del jardín, donde Holly y Lizzie estarían volviendo loco a Sean Casey.

–No es tan fácil, Deb. Él es tan… y yo soy tan…

–Vaya, vaya, sí que ha pasado algo.

Joy frunció el ceño.

–No ha pasado nada –mintió–. Solo nos dimos un beso.

–Ya. ¿Y?

–Y una cosa llevó a la otra y, al final, nos acostamos –le confesó.

–¡Guau!

Deb suspiró y se llevó una mano al corazón en gesto burlesco.

–Fue bastante sorprendente. Habíamos discutido sobre un asunto que no viene a cuento y, de repente, me besó.

–Magnífico.

–Sí, todo lo magnífico que tú quieras, pero eso no resuelve nada.

Deb sacudió la cabeza.

–¿Y a quién le importa eso?

Joy rompió a reír. Deb siempre lograba animarla.

–Bueno, será mejor que me marche. Hace mucho

frío, pero he dejado la compra en el coche y no me quiero arriesgar a que se estropee.

–Está bien, márchate. Aunque no te librarás de mí con tanta facilidad. Quiero saber cómo sigue tu aventura.

–Y yo –replicó–. Pero cambiando de tema, ¿nuestras hijas siguen empeñadas en dormir juntas?

–¿Bromeas? Lizzie lo ha estado planeando al dedillo. Dulces, películas de princesas, de todo. Esa niña es extraordinariamente eficaz cuando quiere.

Joy se encogió de hombros.

–Entonces, la traeré a tu casa el sábado por la tarde.

–Vale, pero no te olvides de rezar por mí –dijo Deb con una sonrisa–. Tendré que cuidar de dos niñas de cinco años, que no dejarán de correr y gritar por toda la casa.

–Estoy segura de ello.

–Ah, llévate una caja de bombones de chocolate. Si endulzas un poco a tu ermitaño, puede que él te endulce la noche.

Tras salir de la cocina, Joy se detuvo en el porche trasero y miró el cielo gris. Un momento después, empezaron a caer copos de nieve, que le acariciaron las mejillas.

Mientras cruzaba el jardín para recoger a Holly y volver a la montaña, Joy pensó que el helado contacto de la nieve era lo que necesitaba para apaciguarse un poco. Pero, cuanto más lo pensaba, menos probable le parecía. Sam le gustaba tanto que no dejaba de pensar en él.

Capítulo Ocho

Cuando por fin se puso a nevar, nevó a lo grande. Era como si una mano invisible hubiera abierto una cremallera en las grises y amenazadoras nubes y hubieran derramado todo lo que contenían sobre los bosques, cuyo aspecto era sencillamente mágico.

Nevó sin parar durante varios días y, cada día, Holly se empeñaba en comprobar las dos casitas, porque Sam ya le había hecho la segunda. Por supuesto, todos los días se llevaba una decepción, pero regresaba de todas formas, ajena al desaliento.

Sam admiraba esa parte de su carácter, por mucho que le hubiera molestado al principio. Se estaba encariñando tanto de ella como de su madre. Los motivos eran diferentes, pero el resultado era el mismo: les estaba abriendo su corazón, y el proceso no podía ser más doloroso. Cada vez que uno de sus témpanos emocionales se derretía, se acordaba del motivo que lo había llevado a congelarse.

Estaba pisando un terreno peligroso, y ya no podía volver atrás. Si no se andaba con cuidado, el resultado podía ser catastrófico.

En otra época, habría sido distinto. Él era diferente, y se entregaba a la vida sin preocuparse por lo que pudiera ocurrir. ¿Por qué iba a tener miedo, si todo lo que hacía le salía bien? Su talento lo había llevado a la cima del arte, y era tan afortunado que terminó por convencerse de que era algo así como un elegido, de que el destino solo le podía deparar grandeza.

Cuando se acordaba ahora, le entraban ganas de reír. ¿Elegido? Más bien, idiota.

El destino en el que tanto confiaba abrió la tierra debajo de sus pies y se lo tragó. Habría sido terrible de todas formas, pero el hecho de que se creyera prácticamente invulnerable empeoró la situación, porque intentó seguir como si no hubiera pasado nada, dando un paso tras otro, con la esperanza de que lo llevaran alguna vez a alguna parte.

Y lo habían llevado allí, a su montaña, a la preciosa mansión que compartía con su ama de llaves, a la soledad que a veces era como tener una soga al cuello, a romper los lazos con su familia porque no soportaba su dolor.

Sin embargo, las cosas habían cambiado. Durante los días anteriores, la tensión que había entre Joy y él se había convertido en algo letal. Cada noche, se sentaba con ellas a la mesa y fingía que no estaba ardiendo por dentro. Cada noche, se encerraba en su taller y se ponía a trabajar por no coincidir con Joy en el salón. Y, cuando por fin se acostaba, se quedaba despierto, deseando que Joy estuviera a su lado.

Estaba atrapado en muchos sentidos. Llevaba tanto tiempo caminando por la senda del aislamiento que no sabía qué hacer, así que hizo lo mismo que había hecho hasta entonces, dar un paso tras otro, seguir la inercia. Y se iba al taller. Y estaba solo.

Una mañana, mientras él se estaba tomando un café, Holly salió de la casa con su parka y sus botas rosas, que contrastaban vivamente con el blanco de la nieve. Como de costumbre, estaba entusiasmada. Se giró hacia la cocina, gritó algo a su madre y esperó, saltando sobre las puntas de sus pies, hasta que Joy se reunió con ella. Luego, señaló el lugar donde estaban las casitas y corrió hacia ellas.

Sam sonrió para sus adentros, preguntándose cuándo se había enamorado de aquella criatura, cuándo había empezado a importarle de verdad, cuándo se había relajado hasta el extremo de hacer que su pequeño sueño se hiciera realidad.

Fuera cual fuera la respuesta, Holly se abalanzó sobre él en cuanto salió del taller. Al verla, no tuvo más remedio que sonreír, y el rostro de la pequeña se iluminó.

–¡Sam! ¡Sam! ¿Lo has visto! –dijo, fuera de sí–. ¡Ven conmigo! ¡Ven! ¡Tienes que verlo! Las hadas han venido. ¡Sabía que vendrían!

Holly se abrazó a sus piernas, y él la apartó para ponerle la capucha y protegerla de la nieve que estaba cayendo. Después, la acompañó a las casitas, y fue entonces cuando notó la intensa emoción de los ojos azules de Joy.

El momento no pudo ser más bonito, pero la niña lo rompió con sus gritos.

–¡Mira, Sam! ¡Mira! ¡Están viviendo en nuestras casas!

Holly le dio un abrazo cargado de afecto y se inclinó para volver a mirar el interior de las dos pequeñas construcciones. Naturalmente, lo que había dentro no eran seres mágicos, sino las diminutas luces navideñas de color rojo, verde, amarillo y azul que había instalado él mismo; y como brillaban tanto en el oscuro día, Holly había tomado sus destellos por las hadas que tanto quería ver.

Sam sacudió la cabeza y se giró otra vez hacia Joy, en cuyos labios se había dibujado una sonrisa. Lo estaba mirando con la misma intensidad de antes, pero en sus ojos había algo mas profundo que el afecto y el propio deseo, algo que no supo interpretar.

Pero no tuvo ocasión de analizarlo porque, como cabía esperar, Holly se puso a contar una historia intrincadísima sobre las hadas que vivían en las casitas de los bosques.

–No tenías por qué hacerlo –dijo Joy al cabo de un rato.

Sam sonrió. Se lo había dicho varias veces durante la última media hora, pero no se cansaba de oírlo.

–¡Voy a ver películas de princesas con Lizzie! ¡Y tenemos muchos dulces! –exclamó Holly en el asiento de atrás del coche.

–Me alegro por ti –replicó Sam, que la miró por el retrovisor antes de dirigirse a Joy–. ¿Cómo habrías ido al pueblo si no te hubiera llevado yo?

–No sé, supongo que habría llamado a Deb y le habría pedido que Sam o ella vinieran a buscar a Holly –respondió.

–Bueno, afortunadamente, no ha sido necesario.

Sam no apartó la vista de la carretera. Ya no nevaba tanto, pero seguía nevando, y podía ser peligroso. Las máquinas quitanieve habían despejado el camino, pero no quería ni imaginar lo que podría haber pasado si Joy se hubiera ido en su coche y el tiempo hubiera empeorado de repente.

Pocos minutos después, aparcó frente al domicilio de Casey. Holly abrió la portezuela de inmediato y, antes de salir, hizo algo que lo dejó completamente perplejo: darle un beso en la mejilla.

—¡Adiós, Sam!

Era la segunda vez que le daba un beso ese día, y el cariñoso gesto le emocionó más de lo que estaba dispuesto a admitir.

Joy se bajó entonces del vehículo, para acompañar a Holly a la casa de su amiga. Y el estremecido Sam se quedó esperando hasta que regresó y se sentó a su lado.

—Un poco más y ni siquiera se despide de mí —dijo ella, sonriendo—. Estaba entusiasmada con la idea de pasar la noche con Lizzie, aunque sospecho que la historia de las supuestas hadas será el centro de su pequeña aventura. Ya le está hablando sobre las luces de colores. Incluso le ha prometido que también harás una casita para ella.

Él sacudió la cabeza.

—Lo que me faltaba —dijo.

Sam arrancó, preguntándose cómo había conseguido sobrevivir al caos de Holly de su madre. No le agradaba demasiado, pero debía admitir que le gustaba. De hecho, le gustaba tanto que empezaba a preocuparse.

Le encantaba tenerlas en la casa. Le encantaba que

la niña apareciera de repente en el taller, y cenar con ellas en la gigantesca mesa del comedor. Hasta disfrutaba cuando se veía obligado a construir casitas para seres imaginarios.

–Más hadas –añadió, resignado.

–Lo siento. Es culpa mía –dijo ella, poniéndole una mano en el brazo–. Pero lo que has hecho significa mucho para mi hija, y también lo significa para mí.

El calor de su mano se extendió por el cuerpo de Sam y le llegó a los huesos. Al pensar en las cosas que le encantaban, había excluido la más importante: la cercanía de Joy, el contacto de su cuerpo y la necesidad permanente de tocarla.

Hacía mucho tiempo que no deseaba tanto a una mujer.

Pero ahora estaba conduciendo, así que intentó sacársela de la cabeza y dio media vuelta para volver a la montaña, lo que implicaba pasar por el centro de Franklin.

–¿Tenemos prisa? –preguntó ella.

Él se detuvo en un semáforo en rojo.

–¿Por qué lo preguntas?

–Porque es pronto. Podríamos quedarnos un rato y cenar en el asador.

Joy le dedicó una sonrisa que habría ablandado a la mayoría de los hombres. Y por lo visto, él no era la excepción.

–¿Quieres cenar?

Ella se encogió de hombros.

–Puede que sea temprano para cenar, pero dudo que eso nos mate.

Él frunció el ceño y miró los copos que caían.

–Sigue nevando –dijo–. Sería mejor que volviéramos.

Joy soltó una carcajada.

–Oh, vamos, no es una ventisca de nieve precisamente –alegó–. Además, solo tardaremos una hora. No pasará nada.

–No te pasará a ti, que disfrutas hablando con la gente –replicó Sam.

Ella volvió a reír y él no tuvo más remedio que concederle su deseo.

Al parecer, todos los habitantes de Franklin habían ido al asador esa noche. Pero Joy se alegró, porque conocía a muchos vecinos y tuvo la oportunidad de presentárselos a Sam.

Por supuesto, él se puso tenso de inmediato. Llevaba demasiado tiempo solo, y se había acostumbrado a la soledad de tal manera que ahora no sabía relacionarse con los demás. Por suerte, se empezó a relajar al cabo de unos minutos; y la velada, que no había podido empezar peor, tomó otro cariz. Incluso empezó a tolerar los halagos de sus admiradores, aunque fuera a regañadientes.

–Nunca he tenido nada tan bonito como el cuenco que hizo –le confesó Elinor Cummings, pasándole una mano por el hombro.

–Gracias.

Sam miró a Joy con cara de pocos amigos, como diciéndole que le iba a devolver la jugarreta. Sin embargo, ella no se preocupó demasiado. A fin de cuentas, sabía que gruñiría y ladraría, pero no le mordería.

–Me encanta, en serio –continuó la mujer, de pelo canoso y cincuenta y tantos años de edad–. Tiene un tacto natural como si lo hubiera sacado del corazón del bosque, como si se lo hubiera arrancado al suelo.

–Bueno, es más o menos lo que hice.

–Y el interior brilla como una joya –insistió ella–. Todos los engastes de colores, todo tan pulido… brilla cada vez que le da la luz. Es absolutamente maravilloso. ¿Sabe lo que pienso cuando lo veo? Que es una metáfora de dos extremos de la vida, la felicidad y la tristeza, lo bueno y lo malo.

–Ya basta, Ellie –dijo su marido, guiñando un ojo a Joy–. Deja que coma en paz. Encantado de conocerte, Sam.

Sam asintió, alcanzó su cerveza y echó un buen trago. Los Cummings solo habían sido los últimos de la larga fila de personas que se habían acercado a saludar a Joy y a molestarle a él. Y, para mayor molestia, todos lo miraban como alegrándose de conocer por fin al bicho raro que vivía en la montaña.

Pero eso no le disgustaba tanto como la otra pregunta que se hacían. Evidentemente, habrían dado cualquier cosa por saber si Joy y él se estaban acostando.

Ese era uno de los problemas de acercarse demasiado a la gente. Se metían en asuntos que no eran suyos y, si algún incauto cometía el error de abrirles la puerta, su vida terminaba siendo de dominio público.

–Lo estás disfrutando, ¿verdad? –preguntó a Joy.

Sus ojos brillaron un poco.

–Si dijera lo contrario, mentiría. Sí, lo estoy disfrutando. Me alegra saber que puedes relacionarte con los demás. Y, por otro lado, no hay duda de que Elinor adora tu obra –contestó–. ¿Es que no te gustan los cumplidos?

–Solo era un cuenco, un simple cuenco. No pretendía nada con él. La gente se empeña en interpretar las obras a su antojo y sacar las conclusiones que les conviene. Pero, a veces, un cuenco es un cuenco.

Ella soltó una carcajada y sacudió la cabeza.

–A mí no me engañas, Sam. He visto lo que vendes en Crafty. Nada de lo que haces es un simple objeto –afirmó–. Pero, de todas formas, la gente adora tu trabajo… y, si les dieras la oportunidad, es posible que también les gustaras tú.

–¿Y por qué querría gustarles?

–Porque es mejor que vivir recluido en una montaña –contestó, apoyando los codos en la mesa–. No puedes vivir solo para siempre.

Sam pensó que Joy tenía razón, pero solo en lo tocante a ella y a su hija. Habían conseguido que volviera a sentir. Habían llenado su casa de afecto. Habían roto la inercia en la que vivía, porque Kaye respetaba su forma de vivir y no la amenazaba en modo alguno cuando estaba presente. Habían accedido a su corazón y le habían obligado a mirar para que se diera cuenta de que se había condenado a una existencia estéril.

Pero, ¿qué pasaría cuando se marcharan? Él regresaría a su vida anterior, y el silencio que tanto le gustaba antes se le haría insoportable.

No lo quería ni pensar.

***

–¿Por qué estamos aquí? –preguntó Sam–. ¿Cuál es el verdadero motivo?

Joy tomó un poco de vino y lo miró con detenimiento, intentando adivinar lo que estaba pensando. Normalmente, sus gestos lo traicionaban. Y era bastante curioso, aunque su facilidad para pasar de las sonrisas a los ceños fruncidos lo era bastante más.

–En primer lugar, para comer carne decente –respondió.

–¿Y en segundo?

–Para demostrarte que los vecinos de Franklin son buenas personas y que puedes estar con la gente sin convertirte en una estatua de piedra –dijo, echándose hacia atrás en la silla–. Venga, admítelo. Te estás divirtiendo.

–Bueno, reconozco que mi filete estaba bien.

–¿Y la compañía?

–La tuya, sí. Pero ya sabes que me gusta estar contigo.

–El sentimiento es mutuo.

Joy sintió un cosquilleo en el estómago y, como de costumbre, se preguntó cómo era posible que sintiera esas cosas cuando estaba con él. ¿Cómo lo conseguía? Su vida habría sido más fácil si se hubiera encaprichado de un hombre menos complicado. Pero los hombres complicados tenían sus ventajas y, por otra parte, le encantaba mirar sus preciosos ojos marrones.

–Sin embargo, no estaba hablando de nosotros, sino

de los demás –continuó–. Te sientes bien cuando estás con ellos, aunque te incomoden sus cumplidos.

–Crees que me conoces muy bien, ¿eh?

–Sí –contestó ella, arrancándole una mirada de irritación.

Joy estaba convencida de lo que había dicho. Era un gruñón, pero nada más. Sus enfados no duraban mucho, ni siquiera cuando tenía motivos de sobra para enfadarse. Se lo había demostrado durante la discusión que tuvieron antes de hacer el amor por primera vez. Lo había obligado a hablar de su mujer y su hijo, y él había refrenado su ira.

Desde su punto de vista, Sam Henry era el hombre que no soportaba a los niños y que, sin embargo, admitía la presencia de Holly, la trataba maravillosamente bien y hasta le construía casitas. El hombre que le gustaba.

Joy echó un vistazo a su alrededor, temerosa de que fuera él quien adivinara sus pensamientos al mirarla a los ojos. La sala estaba llena. Por la ventana que daba a Main Street, se veía el paisaje invernal de los techos y las aceras cubiertas de nieve. De fondo, sonaban temas de música clásica, con abrumadora presencia de cuerda y piano. Pero lo que más le interesaba estaba delante de ella, por supuesto.

¿Era una estúpida por haberse enamorado de él? Aunque lo fuera, ya no podía volver sobre sus pasos. Se había enamorado lentamente, día a día, por sus conversaciones nocturnas en el salón, por sus besos, por la intensidad de su mirada, por su participación a regañadientes en las cenas familiares que organizaba ella. Por eso y por mucho más. Pero lo de hadas había sido la gota que colmaba el vaso.

Obviamente, Sam había tenido que ir al pueblo para poder comprar las luces de colores. Y no contento con hacer algo que le disgustaba, se había levantado de noche para que Holly no le pudiera ver y había instalado las luces sin más objetivo que hacer feliz a una niña pequeña, que concederle su deseo.

Sam había protegido sus sueños y fantasías, avivando a la vez su imaginación. ¿Cómo olvidar el momento en que Holly se abrazó a sus piernas? Cuando los vio, los ojos se le llenaron de lágrimas. Sam le devolvió el abrazo con una delicadeza fuera de lo común, pensando quizá que su hija era de cristal. Y, en ese preciso momento, Joy supo que se había enamorado. Pero, ¿se podía arriesgar a que él lo supiera? Probablemente, no.

–¿En qué estás pensando? –preguntó Sam, que encontró sospechoso su silencio.

–¿Cómo? Oh, en nada –dijo, sacudiendo la cabeza.

Él volvió a fruncir el ceño.

–Me pongo nervioso cuando te pones tan pensativa.

–¿Nervioso? ¿Tú? Dudo que tengas un problema de nervios.

–Yo no estaría tan seguro de eso –replicó–. En fin, será mejor que nos marchemos. Si la tormenta arrecia, nos quedaremos atrapados en Franklin.

Joy asintió. En ese momento no se le ocurriría nada mejor que estar a solas con Sam en la preciosa mansión de la montaña.

–Buena idea.

El camino de vuelta fue más lento que el de ida,

aunque cabía la posibilidad de que a Joy se lo pareciera porque se sentía como si su piel tuviera una talla más pequeña de lo habitual. Ahora sabía lo que quería, y el sentimiento de anticipación se le estaba haciendo insoportable. Además, la tensión que había entre ellos había ido creciendo durante los días anteriores, y necesitaba una válvula de escape.

Necesitaba saciarse con el hombre que había conquistado su corazón, aunque no le pudiera decir lo que sentía.

Al llegar a la casa, aparcaron en el garaje y entraron en el edificio por una puerta que daba a un pequeño vestíbulo, donde dejaron las chaquetas antes de pasar a la cocina. Joy pulsó el interruptor de la pared, y la suave luz de la zona de la mesa se encendió, dejando lo demás en penumbra, es decir, justo lo que pretendía. Luego, se giró hacia Sam, se puso de puntillas y, tras llevar las manos a su cara, le besó con todo lo que llevaba dentro.

Su corazón se aceleró al instante, como si se alegrara de poder descargar la excitación que había acumulado. Y Sam reaccionó del mismo modo, sin perder el tiempo: la tomó entre sus brazos y la alzó en el aire mientras ella se apretaba contra él como un lazo sobre un regalo.

Por lo visto, estaba esperando a que ella le diera alguna señal y, ahora que se la había dado, la besó con tal desesperación que borró las dudas de Joy. La deseaba tanto como ella a él. Su deseo le llegaba en oleadas que recibía con hambre, dejándose arrastrar a la tormenta que habían desatado. Sus labios se acariciaban, sus lenguas jugaban y sus gemidos rompían el silencio de la noche.

De repente, él llevó las manos a sus nalgas, le dio la vuelta con tanta rapidez que casi se mareó y la empujó contra la puerta trasera. Joy no había sentido nada tan arrebatador en su vida. Todo su cuerpo estaba empapado de emociones. La piel le ardía, la sangre le hervía y su mente era un caos de pensamientos y necesidades que se resumían en dos conceptos: que la tomara ya y que lo hiciera sin contemplaciones.

No quería otra cosa que sentirlo en su interior y notar el contacto de sus manos, aunque tampoco le vendría mal un poco de aire, porque tenía la sensación de que todo el oxígeno de la cocina había desaparecido.

Él jugueteó un momento con su pelo, y ella aprovechó la ocasión para echar la cabeza hacia atrás y respirar hondo antes de volverse a concentrar en las cosas que le estaba haciendo. La besaba, la lamía, la mordisqueaba una y otra vez.

–Oh, Dios mío. Es tan maravilloso… –acertó a decir.

Él sonrió contra su cuello.

–Sí que lo es. Y sabes muy bien.

–Gracias –replicó, estremecida–. Me alegro de saberlo.

–Llevo días esperando este momento –le confesó Sam, mirándola como un depredador–. Intentaba mantener las distancias, pero me costaba mucho.

–Y a mí –dijo, apretándose contra él–. He estado soñando contigo, ¿sabes?

Sam volvió a sonreír.

–¿En serio? Bueno, pues ya es hora de despertarse. Sígueme.

–¿Adónde vamos?

–Al piso de arriba, donde están las camas.

–Ah…

–Ha sido una espera demasiado larga como para hacerlo en el suelo de la cocina.

Joy pensó que, en ese momento, el suelo de la cocina le parecía un lugar tan bueno como cualquiera. Lo habría hecho en la encimera o contra la puerta, como estaba segundos antes. Sobre todo, porque no estaba segura de que sus temblorosas piernas estuvieran en condiciones de subir una escalera. Y entonces, cayó en la cuenta de que no necesitaban subir.

–Mi cama está más cerca, Sam.

–Bien pensado. Me encantan las mujeres inteligentes.

Sam la alzó en vilo y la llevó hacia la suite de Kaye, donde se alojaba.

–Siempre he querido que me llevaran en brazos –declaró ella, volviendo a sonreír.

Al pasar por el saloncito de la suite, Joy estiró un brazo y pulsó el interruptor, provocando que el pequeño árbol de Navidad y el resto de las luces decorativas se encendieran en el momento más inadecuado.

–¿Qué demonios…? –empezó a decir él.

Sam se detuvo en seco y se puso a mirar lo que Holly y ella habían estado haciendo en su tiempo libre. Como él no quería que decorara la casa, había limitado su vocación navideña a las habitaciones del ama de llaves, aunque sin ahorrar en adornos. De hecho, el árbol estaba prácticamente hundido por el peso de la ingente cantidad de guirnaldas y bolas que le habían colocado.

–Pobre árbol –dijo él, sacudiendo la cabeza.

Ella se giró hacia la ventana y al ver las casitas de hadas, cuyas luces brillaban en la oscuridad, lo quiso más que nunca.

–Has iluminado la vida de Holly –dijo.

Sam se encogió de hombros.

–Me cansé de verla todos los días buscando hadas que, por supuesto, no iba a encontrar. Pero es una niña de carácter. No dejó de creer en ningún momento.

A ella se le derritió el corazón. ¿Cómo no iba a estar enamorada de un hombre que hacía lo necesario para mantener vivas las esperanzas de su hija?

–Instalé un temporizador, para que se enciendan y apaguen a horas distintas y Holly tenga mucho que mirar.

Joy sacudió la cabeza.

–No tengo palabras para expresar lo que siento.

–Pues estamos de suerte, porque no necesitamos palabras.

Sam la besó de nuevo, y ella se rindió al fuego de la pasión, olvidando todo lo que no fueran sus besos y caricias. Necesitaba pasar las manos por sus músculos y sentir el calor de la piel contra la piel.

Casi no se dio cuenta de lo que pasaba cuando la llevó al dormitorio principal de la suite y la tumbó en la cama. Había estado tanto tiempo sin hacer el amor con nadie que no se podía refrenar. Y era obvio que a él le pasaba lo mismo, porque la desnudó y se desnudó tan deprisa que, segundos después, ya no había nada que se interpusiera entre ellos.

Luego, se puso encima y le empezó a besar el estómago.

—Tenía tantas ganas de volver a verte desnuda...

—Y yo, tantas de estarlo...

Joy le acarició los hombros con movimientos largos y sensuales, desesperada por sentirlo. Él la siguió besando por todas partes, sin saltarse una sola curva. Y, cuando le succionó un pezón, ella soltó un grito ahogado y se retorció inconscientemente.

Momentos después, las atenciones de Sam pasaron a la zona interna de sus muslos y al centro de toda la energía que la dominaba. Fue algo sublime. Cuando no lamía, le metía los dedos o la acariciaba con ellos. Joy alzó las caderas, ofreciéndose un poco más, y él siguió adelante entre el sonido de sus jadeos y el latido desbocado de sus corazones.

Era como estar en un huracán. No había escondite posible y, aunque lo hubiera habido, ella no lo habría querido. Necesitaba estar ahí, en mitad de la tormenta. Nunca había necesitado nada con tanta urgencia. Manos, cuerpos, labios, deseo en estado puro. Susurros, jadeos y palabras pronunciadas en voz baja. Un calor apasionante que contrastaba con el frío de la blanca nieve que seguía cayendo en el exterior.

Las caricias de Sam la llevaron a un corto orgasmo y, cuando ya se estaba recuperando, sintió un segundo muchísimo más fuerte, provocado por los dedos que la frotaban y entraban y salían de su cuerpo.

En la desesperación del placer, pensó que, si no la tomaba de inmediato, se moriría. Quería más, mucho más.

—Entra en mí –le rogó–. Ahora.

—Ahora —repitió él.

Sam besó de nuevo su boca y, a continuación, le separó las piernas y la penetró. Joy hundió la cabeza en la almohada y se arqueó otra vez, dándole la bienvenida e instándole a entrar un poco más. Entonces, él le puso las manos en las caderas y se empezó a mover con un ritmo frenético, al que ella se sumó encantada.

El huracán se los había tragado. Su hambre rugía en la habitación, devorándolos de forma implacable. El mundo había quedado reducido a sus cuerpos y a su ansiedad por alcanzar la satisfacción última.

Y la alcanzaron, naturalmente. Piel contra piel, suspiro contra suspiro.

—Creo que estoy ciega.

Sam salió de ella y se tumbó a su lado.

—Abre los ojos y verás.

—Ah, es cierto.

Joy le miró, y Sam sintió el gancho de su mirada en el estómago. Acababa de tener la experiencia erótica más intensa de toda su vida y, sin embargo, ardía en deseos de volverla a tomar.

Sorprendido con su propia excitación, le acarició los senos. Joy se estremeció, y él sonrió. No se cansaba de tocarla. Era algo adictivo. ¿Cómo era posible que la deseara tanto como antes de hacer el amor? En lugar de estar más relajado, estaba más tenso. Tal vez, porque ahora sabía lo que se había estado perdiendo; sabía lo que se sentía al estar dentro de ella y al mirar sus ojos mientras ella llegaba al clímax.

No necesitaba ser muy listo para saber que estaba pisando un terreno peligroso. Reconocía los síntomas. Era consciente de lo que significaban. Había tomado un camino que acabaría en dolor y pesares.

Pero no podía hacer nada al respecto.

–Ha sido maravilloso –dijo ella, sonriendo–. Pero tengo tanta sed que me podría beber diez litros de agua.

–Te iré a buscar un vaso –se ofreció él–. Cuando esté seguro de que las piernas me sostienen.

–No hay prisa –dijo Joy–, aunque te lo agradezco mucho. Aquí se está muy bien.

Ella se puso de lado y apoyó la cabeza en su pecho.

–Y que lo digas –replicó Sam.

Al cabo de unos instantes, él se puso a jugar con su pelo y, mientras se lo apartaba de la cara, dijo:

–Me has sorprendido con ese beso.

–¿El que te he dado en la cocina?

–Sí.

Joy volvió a sonreír.

–Pues has reaccionado muy bien.

–Gracias.

Sam había sido sincero al decir que se había llevado una sorpresa. No estaba preparado para que le besara, y había perdido el control inmediatamente, de lo que ahora se arrepentía. Le habría gustado tomárselo con calma, llevarla poco a poco al punto de ruptura; pero había sido incapaz de resistirse a lo que sentía, y se había dejado arrastrar de tal manera que su razón había dejado de funcionar.

Al recordarlo, se quedó sin aliento.

–Oh, no… –dijo.

—¿Qué pasa? –preguntó ella.

Sam se maldijo para sus adentros. ¿Cómo podía haber sido tan estúpido? ¿Cómo podía haber sido tan descuidado?

—Lo siento, Joy. No me he dado cuenta de nada.

—Pues yo diría que has estado de lo más atento –replicó, sonriendo una vez más.

Sam se giró hacia ella y la miró a los ojos.

—No me refería a eso. Pero espero que estés tomando la píldora, porque no me he puesto preservativo.

Capítulo Nueve

Joy lo miró como si Sam hubiera hablado en un idioma que ella desconocía. Lo miró tan fijamente que, cuando por fin comprendió lo que le estaba diciendo, notó su reacción de inmediato.

Pero hasta en ese momento, en una situación ciertamente incómoda, solo pudo pensar en lo bien que olía su piel y en lo mucho que le gustaba.

¿Qué demonios le estaba pasando? Tenía que volver en sí, recuperar la cordura, afrontar el problema que se podían haber buscado sin querer. Había perdido la costumbre de hacer el amor, lo cual explicaba en parte su desliz, y Joy lo había desequilibrado del todo al besarlo en la cocina.

Después, ya no había podido pensar. Había perdido el control por primera vez en su vida y, aunque las consecuencias pudieran ser desastrosas, no se arrepentía en absoluto. Lo habría vuelto a hacer sin dudarlo.

—Oh, vaya —dijo ella.

—¿Estás tomando la píldora? —insistió.

Joy le acarició la mejilla.

—No.

Él tragó saliva.

—Maldita sea. Es culpa mía, Joy. No debería…

—¿Culpa tuya? Yo soy bastante más culpable de lo

que ha pasado. Pero, en todo caso, sería culpa de los dos –afirmó–. Olvídalo, y deja de mirarme como si estuvieras ante un pelotón de fusilamiento.

Sam frunció el ceño, pero no dijo nada.

–No estás solo en esta habitación, Sam –continuó ella–. Nos hemos dejado llevar…

–No me lo recuerdes –la interrumpió.

–Nos hemos dejado llevar y hemos hecho algo que no debíamos –sentenció ella, terminando la frase–. Eso es todo.

Él soltó una carcajada sin humor. Jamás había mantenido una conversación tan poco erótica después de haber hecho el amor. Y por si el carácter prosaico de sus palabras no fuera suficiente, Joy le sorprendía otra vez con su pragmatismo, sin lágrimas ni melodrama, sin recriminaciones de ninguna clase. Se limitaba a aceptar lo que había pasado.

Pero eso no impedía que se sintiera culpable.

–Esa es la cuestión, que tendría que haber estado preparado. Sobre todo porque, cuando fui a comprar las malditas luces para la casita de Holly, compré preservativos.

Ella se quedó boquiabierta.

–¿En serio?

–Sí, en serio. Están arriba, en mi habitación.

Joy rio y sacudió la cabeza.

–Bueno, hasta eso me deja en mal lugar. Tú querías subir, y yo me he empeñado en llevarte a mi dormitorio.

Sam no tuvo más remedio que asentir, aunque sospechaba que no habrían llegado al piso de arriba. Estaban tan excitados que lo habrían hecho en la escalera.

–Eso es cierto.

–Pero me encanta que compraras preservativos –dijo ella, dándole un beso–. Me encanta que me desees tanto como yo a ti.

–No lo dudes nunca.

–Sin embargo, has cometido un pequeñísimo error. ¿Eres consciente de que todos los vecinos de Franklin se habrán enterado?

–¿Cómo?

–A estas horas, no habrá nadie que no sepa que compraste un paquete de preservativos. Y estarán especulando sobre lo que ocurre en la mansión de la montaña.

–Oh, no.

Sam se maldijo por vivir en una localidad tan pequeña. Joy tenía razón. No se le había ocurrido que comprar preservativos en un lugar así alimentaría toda clase de rumores. Llevaba tanto tiempo alejado del mundo que lo había olvidado por completo y, cuando lo pensó, se acordó de la mirada que le había echado el dependiente de la tienda.

–Maldita sea…

–Seremos la comidilla de todos –dijo Joy–. Siempre he querido serlo.

Sam no entendió por qué lo encontraba tan divertido. Solo supo que sintió pánico. Por ser descuidados, se podía quedar embarazada. Por ser descuidado, había perdido a su hijo y a su esposa.

–¿A quién le importa lo que diga la gente? –bramó, irritado–. Mira, pase lo que pase…

–No te preocupes tanto, Sam. Soy una mujer adulta.

Sé cuidar de mí misma. Ni me debes nada ni necesito que te angusties por lo que pueda pasar.

—Soy yo quien debo decidir si te debo algo.

Joy llevó las manos a su cara y lo miró a los ojos.

—Deja de pensar. Limítate a disfrutar de lo que compartimos. Déjalo así.

A él se le encogió el corazón, porque el simple contacto de sus dedos bastaba para que se olvidara de todo lo demás. De hecho, la deseaba más que nunca, aunque ni siquiera sabía cómo era posible. Cada vez que lo miraba con sus profundos ojos azules, se sentía perdido. Quizá tenía razón al pedirle que dejara de preocuparse y se concentrara en el presente, porque esos momentos eran lo único que tenían y lo único que podían tener.

No se iba a arriesgar a que le partieran otra vez el corazón. No quería enamorarse de nuevo solo para que el destino le arrebatara lo que más quería. No se lo podía permitir. Pero, al menos, tenían esa noche.

—Ven conmigo —dijo, levantándose de la cama.

—¿Adónde?

—A mi habitación, donde dejé los preservativos. Pasaremos por la cocina y podrás beber tanta agua como quieras. O vino, si lo prefieres.

—Hum. Vino y preservativos. Suena muy bien —replicó ella—. Ahora que lo pienso, es un plan fantástico. Pero deja que me ponga una bata.

A Sam le pareció de lo más irónico. No le importaba estar desnuda con él, pero le disgustaba la idea de caminar desnuda por una casa vacía.

—No necesitas una bata. Estamos solos, y no tenemos vecinos en muchos kilómetros a la redonda –le recordó–. Nadie te estará mirando por la ventana.

–Pero hace frío.

Joy le volvió a acariciar la mejilla, y él se quedó mirando su suave piel de porcelana. Tenía el pelo revuelto, y sus ojos azules parecían tan claros como el lago. Si no hubiera dejado de pintar, la habría pintado tal como estaba en ese momento, con la misma sonrisa en los labios, sin cambiar nada. Parecía una diosa romana, nacida para que los mortales la adoraran y representaran.

Por desgracia, ya no pintaba. Había renunciado a su vocación tras perder a Dani, a una mujer por la que había sentido lo mismo que sentía por Joy. A la mujer que le había dado un hijo y que se lo había llevado con ella.

El recuerdo fue tan doloroso que le encogió el estómago.

–¿Qué ocurre, Sam?

Él suspiró y la acorraló contra la pared.

–Te deseo.

–Y yo a ti.

–Lo sé, Joy. Pero, si crees que lo nuestro puede tener algún futuro, te equivocas –dijo, armándose de valor–. Ya no soy de esa clase de hombres.

–Oh, Sam, ¿por qué dices eso? Yo no te he pedido nada.

Él tragó saliva. Aunque fuera cierto que no le había pedido nada, la conocía lo suficiente como para saber que el futuro le importaba mucho. A fin de cuentas, era madre. Tenía una hija, y estaba obligada a pensar en esas cosas.

–Porque no quiero hacerte daño.

Joy le dedicó otra sonrisa y le besó con dulzura.

–Ya te he dicho que no quiero que te preocupes por mí. Sé lo que estoy haciendo.

A él le habría gustado que fuera verdad. Pero ya tendría ocasión de arrepentirse más adelante. Aquella noche, Joy era todo lo que importaba.

Días después, Joy volvió al dormitorio de Sam, se acercó a la ventana y miró el taller. Holly estaba con el hombre del que se había enamorado; probablemente, construyendo más casitas, porque Holly parecía decidida a levantar un barrio residencial para hadas en las estribaciones del bosque.

No habían vuelto a hacer el amor en aquel lugar. Sam iba todas las noches a la suite de Kaye, entraba en su dormitorio y se fundía con ella en relativo silencio para no despertar a Holly, que dormía en la habitación contigua. Y luego, a primera hora de la mañana, se marchaba para que la niña no supiera lo que había pasado.

Era triste y maravilloso a la vez. Joy se había enamorado de él, pero no se lo podía decir porque sabía que se asustaría y, si llegaba a quedarse embarazada, se lo tendría que callar por el mismo motivo. Sin embargo, eso no era tan deprimente como el hecho de saber que se estaba alejando de ella y que, al final, dejaría de pasar por su habitación. Se estaba distanciando emocionalmente porque sabía que Holly y ella se irían a finales de mes.

¿No se le había ocurrido que no estaban obligados a

separarse? Le resultaba difícil de creer; casi tan difícil como haberse enamorado de alguien en menos de tres semanas. Sam se había metido tanto en su corazón que se sentía como si se conocieran de toda la vida, como si estuvieran destinados el uno al otro.

¿Cómo era posible que no sintiera lo mismo?

El teléfono de la casa sonó en ese momento, y ella contestó sin mirar el número que aparecía en la pantalla.

–¿Residencia de Sam Henry?

–¡Hola, Joy! ¡Qué ganas tenía de hablar contigo! –dijo una mujer.

Joy se quedó perpleja.

–Gracias, pero ¿quién eres?

–Oh, qué estúpida soy… no me he presentado. Soy Catherine, la madre de Sam.

Joy se ruborizó. Evidentemente, Catherine no podía saber que estaba en el dormitorio de su hijo, junto a una cama donde habían hecho el amor, pero sintió vergüenza de todas formas.

–Ah, encantada de conocerte. Sam no está aquí. Está en el taller.

–Ya lo sé. Acabo de hablar con él y con tu adorable hija, Holly.

–¿En serio? –dijo, confundida.

–Holly me ha contado que Sam y ella están haciendo casas para hadas, y que ya no es tan gruñón como era antes.

–Oh, Dios mío. Discúlpala, por favor…

–No seas tonta, no hay nada que disculpar. Sam era un gruñón, y todas lo sabemos –declaró Catherine–. Pero parece que no lo es cuando está con Holly.

–Tu hijo ha sido maravilloso con ella.

Catherine suspiró.

–No sabes cuánto me alegro de que os haya conocido. Casi había perdido la esperanza de que Sam volviera a vivir y encontrara la felicidad. Pero, por lo visto, la ha encontrado.

–Bueno, yo no sacaría conclusiones apresuradas –replicó Joy, extremadamente incómoda–. Sam no quiere…

–Puede que no quiera, pero lo necesita con urgencia –la interrumpió–. Es un buen hombre. Es que ha sufrido mucho. Se perdió, por así decirlo.

–Lo sé –Joy apoyó una mano en el helado cristal de la ventana y volvió a mirar el taller–. Pero puede que no quiera que le encuentren.

Catherine guardó silencio durante un par de segundos y dijo:

–Kaye me ha contado muchas cosas sobre ti. Te tiene en mucha estima y, ahora que he hablado con tu hija, empiezo a entender por qué. Seguro que eres una buena madre.

–Lo intento.

–Mira, no sé lo que sientes por Sam, pero a riesgo de meterme donde no me llaman, tengo la sensación de que le quieres. Se nota cuando hablas de él.

–Catherine, yo…

–No hace falta que digas nada, querida. Pero hazme un favor… No te rindas.

–No quiero rendirme –le confesó–. Tu hijo me gusta mucho.

–Excelente –replicó, haciendo después otra pausa–.

Pasaré por ahí después de Navidad. Espero que tengamos ocasión de conocernos.

–Sería un placer.

Joy lo dijo en serio, aunque no estaba segura de que siguiera con Sam para entonces. Luego, se despidió de ella, cortó la comunicación y se giró nuevamente hacia la ventana, para ver a las dos personas que más quería.

–¿Vendrán más hadas y pondrán más luces como las que pusieron en las otras casitas? –preguntó Holly, mirando la que acababan de instalar.

–No lo sé. Ya lo veremos –contestó Sam.

–Seguro que sí, porque ahora tienen amigas en la zona y…

Sam sonrió mientras ella se volvía a zambullir en uno de sus monólogos interminables. Estaba seguro de que la iba a echar de menos. Por mucho que le hubiera molestado al principio, se había ganado su corazón. Pero, ¿quién se habría podido resistir al encanto de una niña de cinco años con tanta energía? Ni el frío amainaba su entusiasmo, y eso que hacía un día particularmente gélido.

–¿Las hadas ponen árboles de Navidad?

–¿Cómo?

–Sí, como mamá y yo, que pusimos uno pequeño porque sabíamos que las Navidades no te gustan. Si te hubieran gustado, habríamos puesto uno más grande.

–¿Querías uno grande?

–Bueno, me gustan de todos los tamaños. Pero, si fuera mayor, cabrían más adornos y más regalos, ¿no?

Él sonrió.

–Sí, supongo que sí, aunque eso tiene fácil arreglo. Si vas a buscar a tu madre, entraremos en el bosque y cortaremos el que quieras.

Holly lo miró con asombro.

–¿Lo cortaremos nosotros mismos?

–Por supuesto. Y dejaré que me ayudes –contestó él, sin intención alguna de permitir que tocara un hacha–. Pero no puede ser un árbol gigante. Tiene que ser uno que quepa en la casa.

Holly lo miró con detenimiento y, de repente, dijo algo que lo dejó absolutamente anonadado:

–Eres un gran padre.

–¿Qué?

–Que eres un gran padre –repitió–. Me ayudas y me enseñas cosas. Y ahora sé que eras gruñón porque tu hijo y su madre se murieron.

Sam no podía ni siquiera respirar. Se había quedado sin aire.

¿Cómo sabía lo de su familia? ¿Se lo habría dicho Joy? ¿O es que se dedicaba a escuchar sus conversaciones? Fuera como fuera, estaba claro que los niños se enteraban de más que muchos adultos.

–Pero, si quieres, yo podría ser tu hija –continuó la pequeña, con su aguda voz–. Así, no estarías triste nunca más.

A Sam se le hizo un nudo en la garganta. Holly le estaba ofreciendo todo el amor y la esperanza que podía ofrecer una niña de cinco años. Pero, ¿qué iba a hacer él? ¿Podía arriesgarse a quererla y a que después desapareciera? Aunque, por otra parte, ¿no la estaba perdiendo ya por culpa de sus miedos y fantasmas, que le impedían abrirse a los demás?

Se había alejado del mundo para proteger su corazón. Se había aislado y había mantenido las distancias con todos porque era la única forma de no sufrir. Y ahora, una niña pequeña atravesaba sus defensas y le mostraba lo vulnerable que era.

Por desgracia, eso no cambiaba la pregunta principal: ¿cómo darle lo que necesitaba si la simple idea de quererla y perderla se le hacía insoportable? Evidentemente, ya la quería. Pero no lo podía admitir.

–¿Quieres ser mi papá, Sam?

Sumergido en un mar de dudas, Sam se puso de cuclillas y miró a los ojos a Holly, tan parecidos a los de Joy.

–Me honra que me lo pidas –respondió–. Sin embargo, es algo muy importante, y sería mejor que lo hablaras antes con tu madre.

Sam, que no quería herir sus sentimientos, había optado por una solución intermedia. Ni había aceptado su ofrecimiento ni lo había rechazado. Y también era lo más recomendable, porque Joy conocía bien a su hija y sabría explicarle las cosas sin destrozar su joven corazón. Pero, a pesar de ello, le habría gustado que todo fuera distinto, que la pudiera mirar como la estaba mirando y le pudiera decir que sería su padre y cuidaría de ella.

–Entonces, se lo preguntaré ahora mismo –replicó, sonriendo–. Y luego, podemos enseñarle la casita nueva, cortar el árbol, tomar una taza de chocolate y…

Holly se lanzó a otra de sus conferencias habituales,

y él se volvió hacia la casa. Joy los estaba mirando desde la ventana de su dormitorio.

Al verla, se preguntó si la seguiría viendo allí cuando se marchara, si seguiría notando su aroma en las habitaciones, si seguiría esperando a que apareciera de noche en el salón, si se seguiría girando en la cama para extender un brazo y tocarla.

Hasta que llegó a la casa, su vida había sido una isla silenciosa donde solo estaban él, sus recuerdos y los fantasmas de Dani y Eli; pero, en pocos días, habría dos fantasmas más: los de Joy y Holly. Y esta vez no podría culpar al destino, porque la decisión de perderlas habría sido enteramente suya.

¿Estaría haciendo lo correcto? ¿No habría llegado el momento de salir de entre las sombras y arriesgarse a vivir?

Justo entonces, un grito interrumpió sus pensamientos. Y todo cambió de repente. Otra vez.

Cinco puntos, tres chocolates calientes y un árbol de Navidad después, estaban mirando las luces del enorme pino que habían colocado junto a uno de los ventanales del salón. Holly se había quedado dormida junto a su madre, que le apartó el pelo de la cara y besó la fila de puntos que le acababan de dar en el ambulatorio. Había sido aterrador, pero Sam reaccionó con tanta rapidez que se plantaron en Franklin en cuestión de minutos.

Cuando Joy oyó el grito de la pequeña y vio la sangre en la nieve, se sintió morir. Había sido una caída sin importancia, típica de niños, un simple resbalón. Pero, al caer, Holly se dio en la cabeza con una roca, y se hizo una brecha tan grande que los dos adultos se asustaron.

–¿Quieres que la lleve a la cama? –preguntó él.

–Sí, gracias.

Sam tomó a la niña en brazos y la llevó a su habitación, donde la acostó. Luego, regresó al salón, se metió las manos en los bolsillos y se quedó mirando el fuego como si buscara respuestas a sus muchas dudas. Joy se acercó y le pasó un brazo por la espalda, pero no se llevó ninguna sorpresa cuando él se apartó.

Sabía lo que iba a pasar. El accidente de Holly habría acelerado el proceso. Y ni siquiera se lo podía echar en cara, porque siempre había sido sincero con ella. Le había dicho que no tenían futuro. Había intentado mantener las distancias. Había intentado ahorrarle una decepción precisamente porque la quería y porque adoraba a su hija.

–Sam, yo…

–Qué susto me he pegado.

–Lo sé. Pero Holly está bien –le aseguró–. Ya has oído al médico. Dice que ni siquiera le quedará cicatriz.

Él sacudió la cabeza.

–No puedo pasar por eso otra vez, Joy.

–¿Pasar por qué?

–Lo sabes de sobra –respondió–. Antes de que se cayera, me estaba preguntando si había llegado el momento de volver a vivir. Pero, al oír su grito, me di cuenta de que me engañaba a mí mismo. Ya perdí una vez a mi familia. No me puedo arriesgar a sufrir esa clase de dolor. Os tenéis que ir, Joy.

—Si nos vamos, nos perderás de verdad.

—Pero estaréis a salvo, y yo no tendré que preocuparme cada vez que os pierda de vista.

—¿Significa eso que no pensarás en nosotras? ¿No te preguntarás si estamos bien o somos felices? –replicó.

—Yo no he dicho eso. Me limitaré a no pensar demasiado.

—Algo que se te da muy bien…

—Es un don –dijo con tristeza.

—¿Y ya está? ¿Quieres que nos marchemos y que te dejemos solo en esta enorme y preciosa cárcel? Porque, si estás solo, es una cárcel.

—Quizá, pero es asunto mío.

—No, Sam, es de los tres. Holly me ha dicho que te ha preguntado si quieres ser su padre. ¿Eso no significa nada para ti?

—Lo significa todo. Separarme de vosotras me duele mucho.

—Pues no te separes.

—No tengo más remedio.

Joy perdió la paciencia.

—Dios mío… ¿Cómo he podido enamorarme de un hombre tan obstinado que se niega a ver lo que tiene delante de las narices?

Él se sobresaltó.

—¿Enamorarse?

—Sí, enamorarse. Te amo, Sam.

—No digas eso, por favor.

Joy soltó una carcajada seca.

–¿Crees que te amaré menos por guardar silencio?

–Maldita sea, Joy, te dije que yo no soy de esa clase de hombres, que tú y yo no teníamos ningún futuro.

–Sí, me lo dijiste, pero lo de escuchar no se me da muy bien –declaró, con un nudo en la garganta–. Será que tu arrebatador encanto me lo impide. O quizá no sea tu encanto, sino la calidez de tu sonrisa.

Sam frunció el ceño.

–No, olvida lo que he dicho –continuó ella–. A decir verdad, me enamoré de ti por tu sentido del humor, por tus besos, por tus caricias y por lo cariñoso que eres con Holly. Me enamoré de ti porque nos aceptaste en tu casa a pesar de todo lo que habías sufrido. Y ya no tiene vuelta atrás, Sam. Es lo que siento.

–Nunca quise hacerte daño, Joy.

–Cuando quieres a alguien, le haces daño inevitablemente. La vida es así –alegó Joy–. Pero, si no estás enamorado de mí, busca a otra persona. No puedes seguir oculto en este palacio de sombras.

–¿Por qué no? Me gusta la vida que llevo.

–Mientes. Tú no tienes ninguna vida. Lo que tú tienes se llama sacrificio.

Sam se pasó una mano por el pelo.

–¿De qué diablos estás hablando?

Ella respiró hondo.

–De que te estás castigando a ti mismo por haber sobrevivido a tu mujer y a tu hijo –afirmó–. No alcanzo ni a imaginar la pesadilla que debió de ser para ti. Pero encerrarte y dar la espalda al mundo no cambiará nada.

Él le dio la espalda, se alejó un poco y se volvió a girar hacia Joy.

–¿Crees que no lo sé? No puedo devolverles la vida ni me puedo perdonar por lo que hice.

–¿Por lo que hiciste? –dijo, confundida.

–¿Sabes por qué os llevé el otro día a Franklin?

–Sí, porque mi coche no arrancaba.

–No arrancaba porque quité la tapa del carburador.

–¿Cómo? ¿Por qué hiciste eso?

Sam suspiró.

–Porque no podía permitir que condujeras en plena nevada.

–¿Y por qué no lo podías permitir?

Los ojos de Sam se oscurecieron. Había llegado el momento de decirle la verdad, por muy doloroso que fuera para él.

–Tenía un encargo importante, ¿sabes? Estaba terminando un cuadro, y Dani se puso furiosa cuando supo que no la podía acompañar a una de sus reuniones familiares. Le dije que se llevara a Eli y que yo llegaría más tarde, en cuanto pudiera –le explicó, apoyándose en la repisa de la chimenea–. Estaba en la autopista cuando le estalló una rueda. Dani perdió el control del vehículo y se estrelló contra un camión. Murieron al instante.

Joy no supo qué decir. La historia era tan terrible que se que había quedado sin palabras.

–Quién sabe… Si hubiera conducido yo, es posible que no hubiera pasado nada. Pero nunca lo sabré, ¿verdad? Puestos a elegir entre mi familia y el trabajo, elegí el trabajo. Y perdí a mi familia –dijo–. Ahora sabes por qué dejé de pintar. Ahora sabes por qué no salgo nunca. Ahora sabes por qué…

–¿Por qué no vives? –lo interrumpió–. ¿Crees que a Dani le gustaría eso? ¿Crees que le gustaría verte así?

–No, claro que no.

–Entonces, ¿por qué te torturas de ese modo? Si hubieras estado en ese coche, podrías haber muerto con ellas.

–Eso no lo puedes saber.

–Ni tú, Sam.

Él guardó silencio.

–Mira, mi hija te adora y yo estoy enamorada de ti –prosiguió–. ¿Estás dispuesto a perdernos con tanta facilidad?

Sam la miró a los ojos.

–Te lo acabo de decir. Esta mañana, estaba pensando que podía arriesgarme, que quizás había una posibilidad. Y luego, Holly se cayó y mi corazón se detuvo.

–Los niños se hacen daño constantemente –declaró ella, intentando que entrara en razón–. Y a veces perdemos a nuestros seres queridos, sí. Sin embargo, la vida sigue adelante. Nosotros seguimos adelante. El mundo no se detiene.

–Puede que no. Pero yo no estoy obligado a hacer lo mismo.

Capítulo Diez

Durante los días siguientes, Joy se concentró en su trabajo. Tapó su dolor con capas y más capas de indiferencia y se dedicó a cuidar de sus clientes mientras preparaba comida para Sam y la congelaba, decidida a que no se muriera de hambre cuando se fuera de allí.

Si hubiera sido por ella, no se habría ido. Se habría quedado y habría dado martillazos en su dura cabeza hasta que reaccionara de una vez. Pero no estaba segura de que reaccionara algún día y, en consecuencia, no se podía permitir el lujo de arriesgarse. Al fin y al cabo, también estaba en juego el corazón de su hija, que ya estaba loca por Sam. Cuanto más tiempo se quedaran, más sufriría después.

Cuando llegó el momento de hacer el equipaje, pensó que iba a echar de menos aquel lugar. No había hablado con Sam desde que le dijo que no estaba obligado a seguir al mundo. Se evitaban siempre que podían y, cuando no podían, fingían que no pasaba nada para no disgustar a Holly. De hecho, él no había cambiado de actitud con la niña. La trataba tan bien como de costumbre, lo cual complicaba las cosas a Joy, que lo quería más que nunca.

Pero eso no cambiaba nada. Se marcharían al día siguiente. Meterían sus cosas en el maletero del coche y volverían a su casa de Franklin, aprovechando que Buddy había terminado la obra antes de tiempo.

Pero cómo odiaba tener que marcharse de allí. Cómo odiaba alejarse de Sam.

Desesperada, alcanzó una libreta y un bolígrafo y se sentó en uno de los taburetes de la cocina para dejarle una lista de la comida que había dejado en el congelador. Había hecho tanta que tendría de sobra hasta que Kaye volviera.

¿La echaría de menos cuando se hubiera ido? ¿Se sentaría en el comedor y pensaría en ellas? ¿Iría al salón de noche y desearía tenerla a su lado? ¿O se las quitaría de la cabeza de un plumazo? Conociéndolo, era más probable que las convirtiera en fantasmas de una historia que nunca contaría a nadie. Terminarían siendo otra excusa para negarse la vida a sí mismo y levantar barricadas alrededor de su corazón.

Tras hacer la lista, se giró hacia la ventana y miró el taller. Sam y Holly estaban fuera, junto a las casitas de hadas. No podía oír lo que estaban diciendo, pero se estremeció al ver que la pequeña lo acariciaba.

Marcharse iba a ser muy difícil. Llevarse a Holly iba a ser una pesadilla. Pero tenía que hacerlo, por el bien de todos.

El momento temido llegó pocas horas después.

–¡No me quiero ir! –gritó la niña–. ¡Sam! ¡Sam! ¡Mamá dice que nos vamos! Pero yo no me quiero ir, porque estamos construyendo otra casita y tengo que ayudarte a ponerla en el bosque para que…

–Lo sé, Holly –la interrumpió él–, pero tu mamá también te necesita. Y si dice que os tenéis que ir, os tenéis que ir.

La niña lo miró con lágrimas en los ojos.

–¡Pero yo no quiero irme!

–Ni yo quiero que te vayas –replicó, dedicándole una sonrisa–. ¿Qué te parece esto? Terminaré esa casita y te la llevaré a Franklin para que se la puedas dar a Lizzie.

Ella sacudió la cabeza, y sus coletas oscilaron de un lado a otro.

–No es lo mismo, Sam. Quiero quedarme.

–Oh, vamos –intervino su madre, haciendo esfuerzos por no llorar–. Nos tenemos que ir, Holly.

Holly se puso furiosa.

–¡Eres mala!

–No, solo soy tu madre. Venga, ven conmigo.

Holly bajó la cabeza, dio un beso a Sam y, a continuación, caminó hacia su madre con lentitud, casi arrastrando los pies. Joy miró al hombre de sus sueños y lo maldijo para sus adentros. No sabía lo que estaba haciendo. No sabía lo que estaba perdiendo.

–Volvamos a casa, cariño.

Joy tomó de la mano a su hija y salió de la casa. El sol había salido, abriéndose paso entre unas nubes tan blancas como la barba de Papa Noel. Los pinos estaban cubiertos de nieve, y de las desnudas ramas de los álamos y los abedules colgaban témpanos como si fueran adornos navideños. Era precioso, mágico.

Pero Joy no lo disfrutó.

Holly entró en el coche, se sentó en su sillita y se

puso el cinturón de seguridad mientras ella comprobaba que no había olvidado nada y tenían todas sus pertenencias. La niña no había cambiado de actitud, y su madre sabía que le haría la vida imposible durante los días siguientes.

—Bueno, ya está —dijo, girándose hacia Sam.

—Conduce con cuidado.

Joy lo miró con detenimiento. Se había puesto sus botas viejas, unos vaqueros desgastados y su habitual cazadora de cuero.

—¿Eso es todo lo que vas a decir?

—¿Qué quieres que te diga? —preguntó, mirándola con intensidad—. Ya nos lo dijimos todo el otro día.

—No todo, pero sigues sin entenderlo.

Joy se acercó a él, le puso las manos en las mejillas y añadió:

—Tú y yo podríamos haber sido felices. Podríamos haber creado algo que muchos solo sueñan. Pero quiero que pienses en esto, Sam... No tuviste nada que ver con la muerte de tu familia. No fue culpa tuya. En cambio, estás a punto de perdernos porque tú lo has querido así. Esta vez serás el único responsable.

Sam apretó los dientes, pero no dijo nada.

—Estás cometiendo un error, y no sabes cuánto lo lamento —continuó ella—. Te estás condenando a una vida desgraciada.

Antes de que Sam le pudiera decir que eso no era asunto suyo, ella dio media vuelta y se metió en el coche. Luego, en plena pataleta de Holly, arrancó el motor, metió una marcha y se alejó de Sam Henry y de todo lo que podría haber sido y no iba a ser.

Durante los días siguientes, Sam intentó volver a su vida interior. Siguió trabajando en su proyecto secreto y hasta habló por teléfono con su madre, quien se interesó por Joy y le obligó a cambiar de tema. Pero quitársela de la cabeza no era tan fácil como quitarse de encima a Catherine. El aroma de Joy seguía flotando en el ambiente y, cuando no era su aroma, eran los objetos que había dejado, como el enorme árbol de Navidad que ahora decoraba el salón.

Por si eso fuera poco, su mente se había empeñado en traicionarlo e insistía en revivir todos y cada uno de los momentos que había vivido con ella, empezando por el momento de su despedida. ¿Cómo olvidar la expresión de sus ojos cuando le dijo que estaba cometiendo un error? Casi era tan difícil como olvidar su risa, sus besos y el calor de sus brazos.

Era una situación imposible. Cuando estaba en el taller, se sorprendía a sí mismo lanzando miradas a la casa con la esperanza de que Joy apareciera en una de las ventanas y, cada vez que miraba y no la veía, se moría un poco más por dentro. Había intentado convencerse de que podía vivir sin ella, pero no podía.

Joy le había cambiado. Ya no era el mismo hombre. Le había devuelto a la vida y lo había sacado de su reclusión.

Una noche, mientras se tomaba una cerveza en el salón, se acercó a la ventana y se quedó mirando las casitas de hadas, cuyas luces estaban encendidas. Joy

149

y Holly habían dejado huellas por todas partes. Su recuerdo lo llenaba todo, y no podía escapar de él.

–¿Qué demonios estás haciendo? –se dijo en voz alta.

Joy tenía razón. El destino le había robado a Dani y a Eli, pero esta vez era culpa suya. La vida le había dado una segunda oportunidad, y él la estaba desaprovechando porque estaba demasiado asustado. ¿En qué se había convertido? ¿En un hombre empeñado en ser infeliz a toda costa?

Sam dejó la cerveza en la mesa y salió de la casa.

–No –dijo–. Esto se acaba aquí.

–¿Quieres salir un rato, cariño? ¿Quieres probar tu trineo nuevo?

Era la mañana del día de Navidad. Holly estaba sentada entre un montón de cintas de colores y envoltorios de regalos, que por supuesto había abierto sin cuidado. Llevaba el pelo suelto, y se había subido las faldas de su vestido rosa.

–No, mamá. No me apetece salir.

–¿En serio? –dijo su madre, intentando animarla–. En ese caso, podríamos ver una película de princesas y tomarnos una taza de chocolate.

–Bueno… –replicó la niña, sin entusiasmo.

Joy sabía lo que le pasaba. Al igual que ella, extrañaba a Sam. Pero, ¿qué podía hacer? Sam había tomado una decisión, y no tenían más remedio que aprender a vivir sin él.

–¿Estás enfadada porque Papá Noel no te ha traído

el perrito que querías? Recuerda que te ha dejado una nota… Dice que te lo traerá cuando encuentre uno.

–Eso no importa. Puedo jugar con el de Lizzie –contestó, levantándose del suelo–. Oh, mamá… quiero ver a Sam.

Holly caminó hacia Joy y se sentó en su regazo.

–Lo sé, pero no creo que sea una buena idea.

–Por supuesto que lo es. Seguro que también me echa de menos. Está solo en su casa, y se sentirá fatal porque no le puedo ayudar a hacer las casitas –argumentó la niña–. Nos necesita, mamá. Y nosotras lo necesitamos a él.

Joy pensó que tenía razón. Se había ido de la casa de la montaña porque quería proteger a su hija, pero no la estaba protegiendo. Holly se había encariñado demasiado de Sam. Lo quería tanto como si fuera su padre de verdad.

Y, por otra parte, ¿a quién pretendía engañar? Sí, Sam no le había pedido que se quedaran, pero la decisión de marcharse había sido suya. A decir verdad, ninguno de los dos había luchado por su relación. Y quizás había llegado el momento de que alguien diera un paso adelante y cambiara las cosas.

–Es cierto, cariño. Nos necesita, y nosotros lo necesitamos a él –dijo, dándole un beso en la mejilla–. Anda, vístete.

Sam se quedó atónito cuando vio el coche de Joy. ¿Cómo era posible que aparecieran en ese preciso momento, cuando estaba a punto de salir en su busca? De hecho, ya se disponía a ponerse el abrigo. Salió tan deprisa de la casa que llegó al vehículo antes de que Joy apagara el motor. Estaba nevando, y hacía un frío terrible, pero no le importó nada. Las cosas se habían arreglado solas, y esta vez no iba cometer el error de perder lo que más quería.

—¡Hola, Sam! —exclamó la niña.

—¡Hola, Holly! —contestó él.

Mientras Holly se quitaba el cinturón de seguridad, Sam abrió la puerta delantera y ayudó a salir a Joy, que lo miró con una sonrisa en los labios.

—Feliz Navidad —dijo ella, acariciándole la cara.

—No sabes cuánto te echaba de menos…

Sam se inclinó y la besó apasionadamente. Pero fue un beso breve, porque Holly los interrumpió en seguida.

—¡Hemos vuelto! —gritó.

Él se apartó de Joy, tomó a la niña en brazos y giró con ella varias veces, arrancándole carcajadas de placer.

—Feliz Navidad, Holly.

La niña se aferró a su cuello y le dio un feroz beso infantil en la mejilla.

—Bueno, vamos dentro, que aquí hace frío —dijo Sam—. Tengo un par de sorpresas para vosotras.

—¿Sorpresas? —preguntó la pequeña—. ¡Bien!

Cuando entraron en la casa y Holly vio el enorme castillo de hadas que Sam había dejado junto al árbol de Navidad, la niña saltó al suelo y corrió hacia él, encantada.

—Lo has hecho tú, ¿no? —dijo Joy, con lágrimas en los ojos.

Él asintió.

–Bueno, Holly necesitaba una casita con la que pudiera jugar de verdad. Y se me ha ocurrido que este verano podría construir una en un árbol.

–¿Este verano?

–Es que tengo planes. Y mucho que decirte, por cierto… Aún no me creo que hayas venido. Estaba a punto de ir a buscarte, ¿sabes?

–¿Ah, sí? –preguntó, mirándolo con adoración.

–Sí, ya me estaba poniendo el abrigo cuando he visto tu coche. Tenía intención de recogeros y traeros aquí, a nuestro hogar.

–Nuestro hogar –repitió ella, encantada.

–Bueno, lo será si te quedas conmigo, si me sigues queriendo –replicó–. Casémonos, Joy.

–Oh, Sam…

–No contestes todavía –dijo él, llevándola hacia el árbol de Navidad–. Espera un momento, que tengo más regalos.

–¿También para mí? –preguntó la pequeña.

–Desde luego. Papá Noel pasó anoche por aquí.

–¿Y qué ha traído?

Sam señaló una caja blanca.

–Abre la caja y míralo tú misma.

–¿Por qué tiene agujeros arriba?

–Ábrela y lo sabrás.

Joy, que ya sabía lo que había dentro, apretó la mano de Sam con dulzura.

–¡Oh, Dios mío! –gritó Holly–. ¡Es un perrito!

–Una perrita. Y es toda tuya.

Holly sacó a la preciosa *golden retriever*, que por supuesto era de color blanco.

–¡La llamaré Elsa! –proclamó.

–No puedo creer que se lo hayas comprado. ¿Cómo lo has conseguido? Yo no encontraba ninguno.

Sam se encogió de hombros.

–Mi hermana es amiga de un criador de perros, así que volé a Boston hace dos días y lo traje aquí.

–¿A Boston? ¿Volaste a Boston solo para hacer feliz a mi hija?

–A nuestra hija –puntualizó él–. La adoro, Joy. La quiero como si fuera mía. Y si tú me lo permites, la adoptaré.

–Oh, vaya –acertó a decir, perpleja.

–¿Eso es un sí? ¿O un no?

–Un sí, claro –respondió, abrazándolo–. Holly ya te considera su padre. Y, francamente, yo también.

Sam la abrazó con todas sus fuerzas.

–Os quiero tanto, Joy… Esta vez, no cometeré el error de perderos. Quiero casarme contigo, quiero cuidar de Holly y quiero que tengamos más hijos. Quiero tener una familia que nada ni nadie pueda romper.

Ella se apartó un poco y lo miró a los ojos.

–Este es el momento más feliz de mi vida, Sam. Mi ermitaño gruñón se ha convertido en mi héroe.

Sam sonrió.

–Me temo que sigo siendo un gruñón.

–¿Y qué? Me has dado todo lo que me podías dar.

–No, aún falta una cosa.

–¿Cual?

–Una promesa que me había hecho a mí mismo.

Sam alcanzó el cuadro que había terminado la noche antes y, tras quitarle el papel que lo cubría, se lo enseñó.

–Oh, Sam…

Joy se quedó mirando el cuadro, incapaz de apartar la vista. Había pintado ese mismo salón, con el árbol de Navidad, un montón de regalos y algo bastante más importante que eso: Holly, sentada en el suelo con un perrito y ellos, mirando a la niña con amor. Pero eso no era todo, porque Sam la había pintado embarazada.

–Lo terminé ayer –le explicó–. Nunca había pintado nada tan deprisa. Es el mundo como a mí me gustaría que fuera. Un mundo contigo.

–Es precioso –dijo Joy–. Pero no sé si estoy embarazada.

–Si no lo estás ahora, lo estarás pronto. Quiero tener un montón de niños. Quiero volver a vivir, por arriesgado que sea. Y solo podré vivir si tú me amas.

–¿Que si te amo? Te quiero con locura –dijo Joy, apretándose contra él–. Y tienes suerte, porque también quiero tener más niños. Quiero que crezcan felices, con un padre que los adore.

–Eso no será un problema. Si estamos juntos, claro.

Ella respiró hondo, y él se llevó la mano al bolsillo, sacó un anillo de zafiros y diamantes y se lo puso en un dedo.

–Como ves, la perrita no es lo único que compré en Boston. Aunque debo admitir que mi hermana me ayudó a elegir el anillo.

–¿Tu familia sabe que te quieres casar conmigo?

–Por supuesto que sí. No sabes la alegría que se llevó mi madre, quien por cierto arde en deseos de conocerte. Será mejor que te prepares, porque llegarán dentro de unos días.

–Oh, Sam. ¡Te amo!

–Ese es el mejor regalo que me podías hacer.

Sam la volvió a besar y, una vez más, Holly los volvió a interrumpir.

–¡Os estáis besando! ¡Como hacen las mamás y los papás!

Joy soltó una carcajada.

–¿Quieres que seamos una familia de verdad? –preguntó a su hija–. ¿Quieres que vivamos juntos para siempre?

–¿Para siempre?

–Para siempre –repitió Sam–. Me gustaría ser tu padre. Y, si me dejas, construiremos una casa en un árbol cuando llegue el verano. ¿Te gusta la idea?

Holly sonrió de oreja a oreja.

–¡Claro que sí! Pero, ¿ya puedo llamarte papá?

–Me encantaría.

La niña se abrazó a sus piernas y dijo:

–Estas son las mejores Navidades del mundo. ¡Tengo todo lo que quería! Un perrito, una casa de hadas y un papá.

Sam miró a Joy, y ella supo que jamás volverían a estar solos.

–Feliz Navidad, Sam.

–Feliz Navidad, Joy.

Y entonces, bajo las luces del gigantesco árbol, sellaron su destino con un beso mientras Holly rompía a aplaudir y el cachorrito, a ladrar.

Joy sacudió la cabeza y pensó que todo era perfecto.

Bianca

Salvada por una promesa….
coronada como reina

UNA CENICIENTA
PARA EL JEQUE

Kim Lawrence

Para escapar de los bandidos del desierto, Abby Foster se comprometió con su misterioso salvador y selló el acuerdo con un apasionado beso. Meses más tarde, descubrió que seguía casada con él, y su «marido», convertido en heredero al trono, la reclamó a su lado. Pero sumergirse en el mundo de lujo y exquisito placer de Zain abrumó a la tímida Abby.

¿Podría llegar a convertirse aquella inocente cenicienta en la reina del poderoso jeque?

Acepte 2 de nuestras mejores novelas de amor GRATIS

¡Y reciba un regalo sorpresa!

Oferta especial de tiempo limitado

Rellene el cupón y envíelo a
Harlequin Reader Service®
3010 Walden Ave.
P.O. Box 1867
Buffalo, N.Y. 14240-1867

¡Sí! Por favor, envíenme 2 novelas de amor de Harlequin (1 Bianca® y 1 Deseo®) gratis, más el regalo sorpresa. Luego remítanme 4 novelas nuevas todos los meses, las cuales recibiré mucho antes de que aparezcan en librerías, y factúrenme al bajo precio de $3,24 cada una, más $0,25 por envío e impuesto de ventas, si corresponde*. Este es el precio total, y es un ahorro de casi el 20% sobre el precio de portada. !Una oferta excelente! Entiendo que el hecho de aceptar estos libros y el regalo no me obliga en forma alguna a la compra de libros adicionales. Y también que puedo devolver cualquier envío y cancelar en cualquier momento. Aún si decido no comprar ningún otro libro de Harlequin, los 2 libros gratis y el regalo sorpresa son míos para siempre.

416 LBN DU7N

Nombre y apellido	(Por favor, letra de molde)

Dirección	Apartamento No.

Ciudad	Estado	Zona postal

Esta oferta se limita a un pedido por hogar y no está disponible para los subscriptores actuales de Deseo® y Bianca®.
*Los términos y precios quedan sujetos a cambios sin aviso previo.
Impuestos de ventas aplican en N.Y.

SPN-03   ©2003 Harlequin Enterprises Limited

UNA RECONCILIACIÓN TEMPORAL

Dani Collins

Habían contraído matrimonio en secreto, y los dos habían terminado con el corazón destrozado. Travis no quería volver a verla jamás. Pero, cuando Imogen se desmayó sobre una gélida acera cubierta de nieve en Nueva York, ¡el millonario Travis acudió al rescate delante de todo el mundo! Para evitar un escándalo mediático, acordaron fingir una reconciliación temporal que durase, al menos, hasta Navidad. Pero la pasión intensa que despertaba el uno en el otro seguía ardiendo, y Travis acabó sintiendo la tentación de reclamar a su esposa... ¡para siempre!

DESEO

Un juego peligroso

ANNA DePALO

Irresistible era la palabra que definía a Jordan Serenghetti, la estrella del hockey. Pero Sera Perini, su fisioterapeuta, debía resistirse a los encantos de Jordan. Tenía buenas razones para ello: su relación de parentesco, su ética profesional y un beso que aquel atleta escandalosamente rico ni siquiera recordaba haberle dado. Si cedía a la tentación, ¿volvería Jordan a sus hábitos de mujeriego o la sorprendería con una jugada completamente nueva e inesperada?